ALLMEN ET LES DAHLIAS

MARTIN SUTER

ALLMEN
ET LES DAHLIAS

Traduit de l'allemand
par Olivier MANNONI

CHRISTIAN BOURGOIS ÉDITEUR ◊

Titre original :
Allmen und die Dahlien

Pour Toni

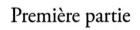

Première partie

1

C'était l'un de ces matins où il devait nouer sa cravate trois fois de suite avant d'obtenir les bonnes longueurs.

Allmen avait mal dormi. Il avait déserté l'ennuyeuse inauguration d'un club pelucheux pour aller s'ensabler avec quelques autres renégats dans les locaux du Goldenbar, puis au Blauer Heinrich. Lorsqu'il avait enfin regagné son lit, une conférence nocturne avec la Colombie organisée par María Moreno l'avait arraché à son tout premier sommeil.

Carlos, lui aussi, conférait fréquemment avec sa famille au Guatemala, mais il le faisait toujours avec discrétion. Lorsque c'était María, en revanche, dans la maison mal insonorisée du jardinier, on aurait juré que sa chambre était pleine de Colombiens venus faire la fête.

Juste après l'heureuse conclusion de l'affaire du «Diamant rose», il avait voulu proposer un emploi fixe à María Moreno. Cela lui paraissait pure logique. L'argent, désormais, ne manquait pas, Allmen aimait avoir du personnel et Carlos aimait María Moreno.

Mais, une fois de plus, il n'avait pas compté sur la pingrerie de ce dernier. Même à présent que les réserves bancaires de Carlos dépassaient largement celles de son *patrón*, il mégotait sur le moindre sou. Il n'avait pas voulu accepter l'offre d'Allmen, qui proposait de l'employer non plus à temps partiel en échange du gîte et du couvert, mais à plein temps et moyennant un bon salaire. Il préférait rester à mi-temps comme jardinier et concierge chez K, C, L & D Fiduciaire, la société qui avait acheté la villa Schwarzacker et laissé à Allmen l'usufruit emphytéotique de la maison de jardinier. « *Nunca se sabe* », avait-il dit : on ne sait jamais. Allmen savait parfaitement de quoi il était question : on ne savait jamais à quel moment Don John serait de nouveau en faillite. Et il s'avéra bientôt qu'on y était presque.

Il avait également réussi à faire échec à l'embauche fixe de sa María. Il lui conseilla de continuer à travailler à l'heure et de garder la main sur le reste de sa clientèle. *Nunca se sabe.*

Pour ce qui concernait sa situation domestique, Carlos était moins strict. L'entrée de María Moreno dans les lieux s'était déroulée par étapes. Ce furent d'abord des visites féminines occasionnelles chez Carlos, visites qu'Allmen, en homme du monde, toléra bien sûr comme si cela allait de soi. Non sans être effleuré par une émotion désagréable, toutefois, ses vidéoconférences avec la Colombie n'étant pas la seule occasion pour María Moreno de se manifester bruyamment. Elle n'avait pas tardé à rester le week-end, ce qui ne le dérangeait pas plus que cela, car elle offrait un spectacle réjouissant. Le jour où Carlos était venu expliquer à Allmen, avec ses circonvolutions habituelles, que María était provisoirement sans domicile, il n'avait vu aucune objection à ce qu'elle trouve refuge un moment auprès d'eux, dans la maison du jardinier. Et lorsqu'il la vit, un soir, assister Carlos en robe noire et petit tablier blanc, Allmen sut qu'il avait laissé passer le moment d'intervenir. Depuis, il hébergeait deux immigrés clandestins. Pas seulement «*por mientras*», c'est-à-dire provisoirement, comme le disait Carlos.

Allmen serra son double nœud Windsor et jeta un dernier coup d'œil dans le miroir grossissant. La pierre d'alun avec laquelle il avait séché le sang de la coupure laissée par le rasoir au-dessus de la commissure des lèvres, à droite, avait laissé une trace blanche qu'il éloigna précautionneusement avec un gant éponge humidifié.

Il se glissa dans sa veste et entra dans le petit séjour trop meublé. Le couvert était mis pour une personne devant l'une des six chaises Art déco de la table à manger. Ça sentait le café et les toasts. Avant même qu'Allmen ne soit assis, María Moreno sortit de la cuisine.

— *Muy buenos días*, Señor John.

María était une femme indépendante, elle n'avait pas laissé Carlos la persuader de s'adresser à Allmen en lui donnant de son «Don John» désuet.

— *Muy buenos días*, María, répondit-il avant de s'assoir.

Elle lui servit du café et retourna dans la cuisine lui préparer son œuf.

María Moreno travaillait seulement les après-midi chez d'autres particuliers. Le matin, elle était disponible dans la maison de jardinier pour accomplir des travaux domestiques et faire des courses. Cela valut à Allmen quelques améliorations décisives de sa qualité de vie. Par exemple sur la question du petit déjeuner.

Jusque-là, Carlos lui apportait à sept heures un *early morning tea* au lit, avant de vaquer à ses occupations. Allmen, qui n'était pas un lève-tôt, allait prendre entre dix et onze heures un petit déjeuner tardif au Viennois. Il continuait certes à le faire autant que possible, mais la fondation d'Allmen International Inquiries (« *The Art of Tracing Art* ») le contraignait parfois à se conformer à un emploi du temps un peu plus régulé. Il lui arrivait même de devoir accepter des rendez-vous le matin, et l'aide de María Moreno lui était alors indispensable pour le petit déjeuner. Ce n'était pas qu'il ne s'en serait pas sorti tout seul, mais ce qu'il avait préparé lui-même ne plaisait jamais à Allmen.

Ce jour-là était l'un de ceux où il n'avait pas de temps pour le Viennois. Il avait déjà un rendez-vous prévu à dix heures quinze.

La veille, une certaine Mme Talfeld avait appelé et demandé un rendez-vous avec « M. von Allmen en personne ». « D'urgence », avait-elle ajouté, si possible dès le lendemain matin.

La présence de María Moreno offrait un autre avantage : outre l'espagnol, elle parlait fort bien l'allemand et l'anglais, c'était une standardiste douée et une hôtesse d'accueil en progression constante. Elle pria Mme Talfeld de patienter un instant, fit comme si elle allait consulter l'agenda d'Allmen et, à sa grande surprise, s'aperçut qu'il avait un moment de libre dans son emploi du temps le lendemain matin. On convint d'un rendez-vous pour dix heures quinze au Schlosshotel. Allmen devrait demander Mme Talfeld à la réception.

María lui apporta un œuf sur le plat, car on était jeudi. Allmen mangeait un œuf chaque fois qu'il prenait son petit déjeuner chez lui, et chaque matin sous une forme différente. Dans un but de simplification, il avait attribué une préparation déterminée à chacun des jours de la semaine : œuf brouillé le lundi, œuf à la coque dans son verre, à la viennoise, le mardi, œuf poché sur toast le mercredi, œuf au plat le jeudi, œuf mollet le vendredi, omelette aux fines herbes le samedi, et ses *huevos rancheros* le dimanche : deux œufs sur le plat rapidement retournés sur la fin, avec une sauce tomate piquante. Une spécialité guatémaltèque dans laquelle Carlos était passé maître, raison pour laquelle Allmen l'avait réservée au dimanche.

Allmen mangeait son œuf tout en feuilletant le journal de la main droite. Il n'y vit rien qui eût pu susciter en lui le plus faible intérêt. Signe supplémentaire du fait que la journée s'annonçait mal. Il écarta son journal et son assiette, se servit du café et regarda par la fenêtre qui donnait sur le parc, de l'autre côté des fauteuils serrés les uns contre les autres.

C'était une journée d'avril tempétueuse. Le vent dispersait sur les pelouses fraîchement tondues les pétales blancs des magnolias. La veille encore, le thermomètre était monté à plus de vingt degrés et Allmen avait pu, pour la première fois, sortir l'un des costumes qu'il s'était fait confectionner pour l'été par son tailleur romain. Mais ce jour-là, il portait de nouveau l'un de ses trois pièces de demi-saison en cachemire. Il entendit la sonnerie et le bref dialogue à l'Interphone entre María Moreno et M. Arnold, son chauffeur de taxi préféré, l'homme à la Cadillac Fleetwood 78. Il aurait pu se lever et aller chercher son manteau, mais il préféra respecter les formes et attendre que María entre dans la chambre et annonce :

— *Su carro*, Señor John : votre voiture.

Allmen s'essuya la bouche, se leva de son siège et boutonna sa veste.

— *Muchas gracias*, María.

— *Buen provecho*, répondit-elle.

Puis elle le suivit dans la petite entrée, attendit qu'il ait contrôlé une dernière fois sa tenue dans le miroir du vestiaire et l'aida à passer son manteau.

Le long du sentier, dans le jardin, poussaient des primevères et des coucous. Il traversa la partie plus utilitaire de ce jardin aux allures de parc, déboucha dans sa partie prestigieuse, devant un hêtre taillé avec précision, là où le chemin étroit en croisait un plus large, qui reliait la porte d'entrée décorée de la villa et le portail en fer forgé.

La Fleetwood, toujours bichonnée, était garée devant la maison. M. Arnold attendait à côté de la portière arrière droite.

Lorsque Allmen se laissa tomber sur la banquette rouge vin, il se sentit un peu mieux. La voiture dégageait un parfum de produit d'entretien du cuir et d'encaustique ; M. Arnold roula en silence et prudemment dans la zone limitée à trente kilomètres heure du quartier résidentiel, pour descendre vers la ville, puis longea la rive du lac jusqu'au Schlosshotel.

2

L'établissement avait jadis été l'un des premiers de la cité, mais durant toutes ces années on n'avait rien fait pour l'adapter aux normes de sa catégorie, si bien qu'il avait perdu sa cinquième étoile. Ce revers n'avait pas eu d'effets sur sa politique commerciale : le Schlosshotel était resté dans la catégorie de prix la plus élevée. Ce qui l'avait bientôt rendu trop onéreux pour les clients des quatre étoiles et trop poussiéreux pour ceux des cinq étoiles. Quant aux vieux et fidèles habitués de l'hôtel, la mort les emportait peu à peu.

Un *doorman* en uniforme gris pigeon ouvrit la portière.

— Bienvenue au Schlosshotel.

Allmen glissa un pourboire à M. Arnold et le pria de l'attendre.

Depuis que Carlos, qui s'occupait aussi de la comptabilité d'Allmen International, avait attiré son attention sur les sommes que finissaient par représenter ces temps d'attente, Allmen préférait payer de sa poche ce détail de sa qualité de vie.

Un large escalier de marbre descendait vers le hall d'entrée circulaire en tournant autour de la suspension d'un lustre en laiton. À droite de la porte tambour se trouvait le pupitre du concierge ; face à lui, celui de la réception.

Deux jeunes femmes assuraient en souriant l'accueil derrière le comptoir, aussi prêtes l'une que l'autre à répondre à sa question. Allmen haïssait cette situation. Elle le forçait à trancher en défaveur de l'une des deux. Pourquoi les réceptionnistes de ce bas monde n'étaient-elles pas capables de se mettre d'accord et d'indiquer clairement laquelle était, à cet instant précis, responsable du client qui arrivait ?

Il choisit comme toujours, chevaleresque, la moins séduisante des deux, se présenta et demanda Mme Talfeld. La jeune femme se dirigea vers le téléphone et composa un numéro court.

Manifestement, quelqu'un décrocha tout de suite, la réceptionniste se contenta de dire : «M. von Allmen est arrivé» et raccrocha.

— Si vous voulez bien patienter quelques instants au lobby, Mme Talfeld va vous rejoindre tout de suite.

Le lobby était une grande salle confortable avec vue sur la voie sur berge. Les rideaux et les peintures sur verre au-dessus des fenêtres laissaient passer si peu de lumière que les lampes de table et les lampadaires étaient encore allumés près des groupes de sièges qui ne se trouvaient pas juste face aux fenêtres.

Allmen s'installa dans un fauteuil rembourré à partir duquel il pouvait voir l'entrée, croisa les jambes et attendit.

On avait dû aérer peu avant, l'air n'était pas pur pour autant, mais il était froid. Un bar se trouvait à l'autre extrémité du lobby. Un barman d'un certain âge y était plongé dans l'une de ces activités impénétrables auxquelles se livrent les barmen à leurs heures perdues. Il déplaçait des bouteilles d'un point à un autre, lustrait des verres propres et polissait au chiffon la surface impeccable du comptoir. Il prit son temps avant de rejoindre la table d'Allmen, un plateau d'argent à la main, et de déposer devant lui une petite coupe d'amandes, une autre de chips, et deux dessous-de-verre. Son smoking était un peu élimé, mais les manches avaient la bonne longueur et, en dépit du dos un peu rond de celui qui le portait, le col ne se détachait pas de la nuque.

Allmen commanda un café crème et vit, de loin, le barman manipuler une petite machine à espresso derrière le comptoir. Il était à craindre qu'il vienne de la mettre en marche.

Une grande femme apparut à l'entrée du lobby. Elle scruta la salle un bref instant avant de mettre le cap sur sa table. Allmen n'était pas difficile à reconnaître, il était le seul client.

Il se leva. Les cheveux noirs de Mme Talfeld étaient dressés en une coiffure démodée qui lui permettait de le dépasser d'un pouce. Elle était durement maquillée – sourcils noirs, large trait d'eye-liner, lèvres rouge foncé, fond de teint clair – et devait avoir dépassé de peu la cinquantaine. Elle lui tendit sa main osseuse et puissante et l'invita à se rassoir.

Allmen attendit qu'elle ait pris place, s'installa à son tour et fit signe au barman. Avant que celui-ci n'ait atteint sa table, elle toisa Allmen, lui adressa un mince sourire et lui dit :

— Heureuse que vous ayez pris le temps de venir en personne.

Le serveur déposa le café crème devant Allmen.

— Bonjour, madame Talfeld. Puis-je vous servir quelque chose ?

— Rien, merci, Bert. Nous ne restons pas longtemps.

Bert se retira.

Mme Talfeld croisa les jambes.

— Cela vous dérange si je fume ? demanda-t-elle en sortant de son grand sac à main un étui à cigarettes en fausse écaille de tortue.

— Si ça ne dérange pas l'hôtel.

Allmen sortit un briquet de sa poche et lui donna du feu. Elle prit une bouffée et lui proposa une cigarette.

— Merci, je ne fume pas.

— Alors pourquoi le briquet ? s'étonna-t-elle.

— Pour donner du feu.

— Ah bon.

On entendait à présent une discrète musique de piano résonner depuis le bar. Bert avait allumé la sonorisation. Mme Talfeld se concentra sur son entrée en matière.

— Y a-t-il dans votre secteur quelque chose comme un secret professionnel ?

— Bien entendu. Tout ce que vous me direz restera entre nous et tous les collaborateurs impliqués dans le dossier ont une obligation de confidentialité absolue.

— Et vous vous y engagez par écrit ?

— Ce point fait bien entendu partie du contrat.

— Vous en avez un sur vous ?

Allmen prit la mince serviette en cuir de porc qu'il avait posée par terre, contre son siège, en sortit le contrat-type de trois pages et le lui tendit.

Elle tira de son sac à main une paire de lunettes en corne noire et se mit à lire.

Allmen but une gorgée de café et vit sa crainte confirmée : il avait un goût de machine.

Mme Talfeld lisait avec attention. Les rides verticales qu'elle avait entre les sourcils se creusèrent, comme celles qui couraient des narines aux commissures des lèvres. Allmen étudia ce visage sévère et tenta de l'imaginer avec vingt années de moins. Il le vit un peu plus lisse, mais pas beaucoup plus détendu.

Elle semblait avoir remarqué qu'il l'observait. Soudain, elle leva les yeux et le regarda en face.

— Pardonnez-moi, se vit-il contraint de dire.

Elle baissa de nouveau les yeux sur le contrat. Allmen tenta de regarder dans une autre direction.

Lorsqu'elle eut terminé, elle lui rendit le papier.

— Le contrat se réfère à une convention d'honoraires. L'avez-vous aussi sur vous ?

Allmen la lui tendit. Elle la survola et la lui rendit.

— Je suppose que cela se situe dans la fourchette de votre secteur?

— À sa limite supérieure.

Mme Talfeld rangea ses lunettes dans son étui, se cala sur son siège et l'observa.

— Qu'est-ce qui vous a conduit à votre étrange profession, monsieur von Allmen? L'amour de l'argent, l'amour de l'art ou l'amour de la justice?

— De l'art, madame Talfeld. Les deux autres n'ont pas grande importance à mes yeux.

Elle eut un petit éclat de rire, puis le scruta de nouveau. Soudain, elle prit son sac à main et se leva.

— Je vais vous présenter quelqu'un.

Allmen se leva et fit signe au barman.

— C'est réglé, venez.

3

Dans l'antique ascenseur, des miroirs alternaient avec des vitrines dans lesquelles exposaient un joailler, une parfumerie et un opticien. Mme Talfeld glissa une clef dans une serrure située au-dessus du bouton du troisième. L'ascenseur eut un soubresaut et se mit en mouvement.

— Dalia Gutbauer, ce nom vous dit-il quelque chose? demanda-t-elle.

Allmen aurait eu du mal à ne pas le connaître. Dans son enfance, le patronyme figurait – à côté d'un logo représentant un faucheur stylisé – sur chaque plaque d'égout et chaque bouche d'incendie du pays. C'était le nom d'une entreprise industrielle que son principal actionnaire, Gustav Gutbauer, avait vendue dans les années soixante à une multinationale de la machine-outil, laquelle l'avait démantelée et absorbée. Gutbauer était mort peu après la vente, et l'héritage – on parlait d'un demi-milliard de francs suisses – était allé à sa fille unique, Dalia Gutbauer.

Après la guerre et jusqu'à la fin des années cinquante, celle-ci avait mené une vie mondaine sous le feu des projecteurs avant de disparaître du jour au lendemain des pages de la presse de boulevard et des potins sur la haute société. On avait encore un peu spéculé sur le lieu où elle séjournait – le Chili, le Kenya, Singapour –, mais l'intérêt des lecteurs n'avait pas tardé à revenir vers les personnes présentes et le nom de Dalia Gutbauer aurait sombré dans un total oubli s'il n'était pas réapparu chaque année dans les tout premiers rangs de la liste des cents plus grandes fortunes du pays. Avec un point d'interrogation en guise de photo.

Et voilà qu'il resurgissait dans cet ascenseur qui tressautait.

Jeune garçon, Allmen s'intéressait déjà à la *High Society*. La mystérieuse disparition de la légendaire Dalia l'avait fasciné, même si elle s'était produite avant sa naissance. Il ne pouvait pas comprendre que quelqu'un renonce volontairement à une vie que lui-même avait toujours voulu mener.

— Si je me rappelle bien, c'était l'héritière disparue de Gutbauer.

— Erreur. (L'ascenseur s'arrêta brusquement.) Elle l'est toujours.

La porte s'ouvrit dans un glissement et les laissa pénétrer dans un hall. Un vieil homme en costume Stresemann les attendait et les pria de le suivre.

Il les conduisit dans un salon qui coupa le souffle à ce collectionneur d'Art déco qu'était Allmen.

— Mme Gutbauer va vous rejoindre dans un instant, dit l'homme. Que puis-je vous servir ?

— Pour moi, un espresso, je vous prie, Monsieur Louis, dit Mme Talfeld avant d'ajouter, en adressant un sourire à Allmen : Le café que l'on boit ici n'a rien à voir avec le bouillon qu'on vous verse en bas, au lobby.

Allmen commanda un Perrier avec deux glaçons et un zeste de citron.

— Elle a vécu ici pendant toutes ces années ? demanda Allmen pendant qu'ils attendaient.

Il n'obtint pas d'autre réponse qu'un sourire mystérieux. Ils se turent tous les deux jusqu'à ce que Monsieur Louis revienne avec les boissons. Il servit Allmen et se retira.

Peu après, on ouvrit la porte. Mme Talfeld bondit sur ses jambes. Allmen se leva et boutonna sa veste.

Dalia Gutbauer entra dans la pièce. C'était une très petite femme, elle avançait à l'aide d'un déambulateur qu'on lui avait sans doute fabriqué sur mesure. À chaque pas, elle le soulevait d'un coup avant de le laisser retomber bruyamment. Une infirmière vêtue de blanc la suivait pas à pas, concentrée, les mains un peu tendues vers l'avant pour pouvoir rattraper sa protégée à n'importe quel moment.

La vieille femme ne prêta attention à Allmen qu'au moment où l'infirmière et Mme Talfeld l'eurent précautionneusement aidée à s'installer dans son fauteuil. Quand elle fut assise, elle dit d'une voix étonnamment basse pour une vieille dame aussi fragile :

— Vous avez de nouveau fumé, Cheryl.

— J'aimerais avoir votre flair, répondit Mme Talfeld sur le ton de la plaisanterie.

— Il n'est pas nécessaire d'avoir un odorat particulier. On vous sentirait à trois kilomètres. (À cet instant, elle leva les yeux vers Allmen.) Eh bien! asseyez-vous donc, j'ai la nuque raide.

Allmen obéit et ils se toisèrent mutuellement.

L'épaisse tignasse de Dalia Gutbauer était coiffée de telle sorte qu'elle dissimulait une grande partie de son visage chiffonné. Elle portait des lunettes en arc serties de diamants qui agrandissaient un peu ses yeux d'un bleu profond. Ses lèvres fripées étaient maquillées du même rouge écarlate que ses ongles. Ceux-ci paraissaient fraîchement sortis de chez le manucure et formaient un vif contraste avec les mains déformées et parsemées de taches. Elle portait un tailleur Chanel en tweed gris clair à galon noir, et un corsage de soie noire à col lacé.

— Êtes-vous un homme honnête? demanda-t-elle.

— Autant que possible.

— Arrive-t-il souvent que ce ne soit pas possible?

— Ma foi, ça peut arriver. Pour raisons professionnelles.

Elle hocha la tête d'un air compréhensif.

— Mais si vous n'êtes pas toujours honnête, vous respectez tout de même toujours la loi?

Une intuition, pour laquelle il éprouva un peu de fierté, inspira à Allmen la réponse suivante :

— Toujours. Sauf si cela devait être un inconvénient pour notre clientèle.

Dalia Gutbauer échangea un regard avec Mme Talfeld et s'adressa à l'infirmière :

— Je vous appellerai, mademoiselle.

L'infirmière quitta la pièce.

Mme Gutbauer s'adressa de nouveau à Allmen. Il lui sembla qu'il avait réussi l'examen.

— Le nom d'Henri Fantin-Latour vous dit quelque chose ?

Allmen le connaissait. C'était un peintre qui, en plein impressionnisme, avait peint des tableaux de fleurs et des portraits réalistes dont le cours atteignait à présent des sommes élevées sur le marché de l'art. Les tableaux de fleurs, notamment, étaient enchanteurs. Quoique pas tout à fait à son goût. Il hocha la tête.

— Il s'agit d'une de ses œuvres. Je vous en prie, Cheryl.

Mme Talfeld sortit un petit étui de son sac à main, en tira une photo et la tendit à Allmen.

On y voyait un bouquet de dahlias en différentes nuances de rouge et de blanc, dans un vase sobre et blanc à la taille resserrée. Une lumière chaude tombait sur quelques-uns d'entre eux, d'autres étaient dans l'ombre ; derrière, dans une pénombre mystérieuse, on devinait d'autres fleurs.

Ce tableau rappelait quelque chose à Allmen.

— Se pourrait-il que je le connaisse ?

— Fantin-Latour a peint beaucoup de dahlias, répondit Dalia Gutbauer. Mais ceux-là sont ses plus beaux.

Alors seulement, Allmen remarqua la similitude : Dalia, dahlias. Il sortit de sa veste un bloc-notes relié en cuir à tranche d'or, portant les initiales dorées J. F. V. A. – il en ouvrait un nouveau pour chaque affaire – et y écrivit le titre « *Dahlias* ».

— Et depuis quand déplorez-vous la perte de ce tableau ?

— Déplorer ? Comment pourrais-je déplorer quoi que ce soit ? Je ne peux même pas imaginer qu'il soit parti. Il m'accompagne depuis soixante ans. Vous comprenez ?

Allmen comprenait. Il s'adressa à Mme Talfeld.

— Depuis quand le tableau a-t-il disparu ?

Elle regarda sa patronne. Celle-ci haussa les épaules.

— C'est hier, seulement, que nous avons découvert son absence. Il se trouvait dans une pièce où l'on n'entre pas quotidiennement.

— Je peux la voir ?

Une fois encore, Mme Talfeld consulta sa patronne d'un regard. Celle-ci hocha la tête.

— J'attends ici.

La chambre à coucher dans laquelle on conduisit Allmen était aménagée avec une sélection de meubles Art déco américains. Allmen reconnut beaucoup de ses préférés : du Donald Deskey avec la chambre à coucher en plaqué tropical, laque noire et laiton ; du Kem Weber avec les fauteuils en cuir et en chrome dont les formes évoquaient des lignes électriques ; Wolfgang Hoffmann avec la petite table de maquillage qui semblait n'avoir presque aucun poids, parée de laque réfléchissante et d'étroits rubans de nickel.

Aux murs étaient accrochés quatre portraits de la même femme. Allmen crut reconnaître en l'un d'eux un Niklaus Stoecklin. Un autre aurait pu être l'œuvre de Rudolf Schlichter, un troisième était incontestablement un Meredith Frampton, quant au dernier il ne pouvait l'attribuer à personne.

— N'était-ce pas une beauté ?

Allmen opina, bien qu'il eût pour sa part choisi un autre mot. Beauté n'était pas celui qui convenait. Pas avec les portraitistes qu'elle avait choisis. Tous les quatre avaient accordé plus d'importance à l'expression qu'à la ressemblance, et mis l'accent sur les yeux bleus de Dalia Gutbauer. On voyait qu'elle avait été une femme très sûre d'elle-même, avec beaucoup de cachet. Mais belle ? Ce qui était beau, c'étaient surtout les œuvres.

— Le père de Mme Gutbauer était un grand amateur d'art, et sa fille a hérité de sa passion, expliqua Mme Talfeld.

Il flottait dans l'air de la chambre des vapeurs de parfum et l'odeur de draps frais du lit minutieusement paré. Les rideaux – qui reprenaient eux aussi un modèle géométrique Art déco en noir et blanc – étaient fermés, la pièce était éclairée par cinq spots à tableaux. Quatre d'entre eux étaient pointés sur les portraits. Le cinquième éclairait un emplacement vide sur le mur.

— C'est ici qu'étaient accrochés les *Dahlias*, dit inutilement Mme Talfeld.

— Mais si le tableau se trouvait dans la chambre à coucher, pourquoi son absence n'a-t-elle pas été aussitôt remarquée ?

— Mme Gutbauer dort le plus souvent dans une autre chambre. Une pièce un peu plus pratique, avec un lit médicalisé, vous comprenez.

— Et le personnel ? On entre certainement ici de temps en temps pour aérer, dépoussiérer, passer l'aspirateur.

— La jeune fille chargée de cette chambre est allée rendre visite à sa mère malade en Espagne. Et sa remplaçante était une intérimaire.

Allmen regarda l'endroit sur le mur. Le spot ne projetait pas un cône, mais un carré nettement découpé qui semblait dire : « Ici, il manque un tableau. »

— Le tableau a donc été volé pendant l'absence de la femme de chambre et avant que sa remplaçante ne prenne son travail. Dans le cas contraire, l'absence de ce tableau lui aurait sauté aux yeux.

— Elle a dit n'avoir jamais vu aucun tableau accroché ici.

— Vous savez quel laps de temps cela concerne ?

— Selon Monsieur Louis, qui est aussi responsable du personnel de la maison, Carmen a été pour la dernière fois dans la chambre le mercredi 3 avril. Et elle y est retournée pour la première fois hier. L'extra est arrivée le 6.

— Trois jours.

Une fois de plus, Allmen crut découvrir la trace d'un sourire moqueur autour des minces lèvres de Mme Talfeld. Comme si elle s'amusait de ses décomptes de haut vol.

— Pour autant que l'intérimaire dise la vérité. Dans le cas contraire, cela en ferait sept.

— Et pourquoi mentirait-elle ?

— Peut-être parce qu'elle a quelque chose à voir avec la disparition du tableau.

Cheryl Talfeld envisagea cette hypothèse. Puis elle l'écarta d'un geste de la tête.

— Trop bête pour ça.

Lorsqu'ils revinrent, Dalia Gutbauer s'était assoupie. Elle avait la tête posée sur l'épaule droite, la bouche ouverte. Mme Talfeld raccompagna Allmen à l'entrée de la pièce.

— Mme Gutbauer ne voudrait pas qu'on la voie comme ça, chuchota-t-elle avant d'ouvrir la porte une deuxième fois, en lançant ce coup-ci : Eh bien, nous voilà revenus.

Une touffe de cheveux blancs se dressa alors au-dessus du dos de son fauteuil. Lorsqu'ils eurent fait le tour du dossier, les yeux bleus de la vieille dame étaient grands ouverts.

— Alors? demanda-t-elle.

Allmen et Mme Talfeld reprirent leur place. On avait débarrassé les tasses et servi un peu de feuilleté.

— Puis-je vous poser quelques questions?

La vieille femme eut un geste impatient de la main.

— Posez, posez.

Allmen sortit de nouveau son bloc-notes.

— La première question, que nous posons par routine, est la suivante : pourquoi ne vous adressez-vous pas à la police?

— Question suivante.

Allmen, surpris, la dévisagea.

Cheryl Talfeld agita presque imperceptiblement la tête, et Mme Gutbauer fit un effort :

— Mais cela tombe sous le coup du secret professionnel : ce tableau est… On ne sait pas vraiment d'où il vient.

— Une œuvre volée?

Allmen était un peu choqué.

— Pas au sens ordinaire. Cheryl!

Mme Talfeld reprit le récit :

— Le tableau a été offert à Mme Gutbauer. Une petite attention d'un admirateur, à cause de la similitude des noms, Dalia et dahlias, vous comprenez.

Allmen comprenait.

— Et vous soupçonnez que le tableau pourrait ne pas avoir été acheté d'une manière tout à fait régulière?

— Eh bien, disons qu'il était probablement au-dessus des moyens financiers de celui qui l'a offert.

La vieille femme en eut assez de l'entendre tourner autour du pot :

— Le tableau était volé, et *basta*. Question suivante.

— À combien évaluez-vous l'œuvre ?

— Pour moi, elle n'a pas de prix.

Elle regarda Cheryl Talfeld, qui reprit son dossier dans son sac à main et le feuilleta :

— En 2000, chez Christie's, à New York, un tableau de fleurs de Fantin-Latour est parti pour trois millions et demi de dollars…

— Rien à voir, l'interrompit Dalia Gutbauer avec mépris, les *Dahlias* sont cent fois plus beaux.

— Il était un peu plus grand que les *Dahlias*, poursuivit Mme Talfeld, mais cela remonte à un bon bout de temps.

— Rien à voir, répéta Mme Gutbauer.

— Vous l'évalueriez donc à une somme supérieure ? demanda Allmen.

Elle voulut répondre, mais changea d'avis et l'interrogea :

— Votre prime de réussite consiste en un pourcentage de la valeur, n'est-ce pas ?

— Dix pour cent de la dépense facturée ou de la valeur de l'objet retrouvé, selon ce qui est le plus élevé.

Les discussions sur les honoraires étaient toujours un peu pénibles à Allmen. Mais manifestement pas à Dalia Gutbauer.

— Arrive-t-il que vos honoraires dépassent dix pour cent de la valeur du bien volé ? demanda-t-elle en souriant.

— Il y a des cas où c'est la valeur immatérielle qui compte. Et celle-ci est parfois bien supérieure à la valeur réelle, répondit Allmen, un peu guindé.

— Dans ce cas, si ça ne tient qu'à moi, partez de ces trois millions et demi. Matériels. Immatériels, le double.

Allmen prit note.

— Question suivante, dit Mme Gutbauer.

Allmen débita les questions standard qu'il avait mémorisées à l'aide de Carlos comme un écolier repasse son vocabulaire. Avez-vous un soupçon ? Avez-vous remarqué quelque chose ? Qui avait accès à l'appartement ? Et qui connaissait l'existence du tableau ?

Ces dames n'avaient aucun soupçon et n'avaient rien remarqué. Mme Talfeld lui dicta le nom des gens qui avaient accès à l'appartement et savaient que le tableau s'y trouvait, tandis que Dalia Gutbauer allait pêcher dans son col à lacet une chaîne en or à laquelle était suspendu un émetteur rouge. Elle appuya dessus ; l'instant d'après l'infirmière entra dans la pièce et aida Mme Gutbauer à se mettre sur ses deux jambes.

Allmen se leva et lui offrit son bras. La main déformée de la vieille dame, aux ongles rouges parfaitement manucurés, s'y accrocha comme les serres d'un faucon.

— Mme Talfeld réglera la partie administrative, n'est-ce pas, Cheryl ? dit-elle, avant d'ajouter : Je compte sur vous, Allmen. Je veux récupérer ce tableau.

Il la regarda traîner son déambulateur vers la sortie du salon et s'éclipser dans le couloir sous l'œil vigilant de son infirmière. Dès qu'ils furent de nouveau seuls, Mme Talfeld reprit :

— Je suppose qu'il vous faut une avance.

— Ah, oui, répondit vaguement Allmen. Notre comptabilité prendra contact avec vous le cas échéant.

4

La mansarde qui servait de logement et de bureau à Carlos était devenue encore plus étroite depuis l'installation de María Moreno. En raison du plafond en pente, l'armoire où elle rangeait ses vêtements avançait loin dans la pièce et l'on devait se courber pour la contourner et arriver à la petite table de travail où se trouvait l'ordinateur de Carlos. Il y était assis et effectuait des recherches sur l'affaire des *Dahlias* à laquelle il avait attribué le numéro de dossier 243.

Il ne trouva sur Internet que des photos en noir et blanc de la toile : elle avait été volée en 1958 dans un musée de province pourvu d'un système de sécurité très rudimentaire et n'avait jamais été retrouvée. C'était l'unique œuvre qu'on ait prise dans toute cette exposition particulière Fantin-Latour. On avait à l'époque déclaré une valeur d'environ trois millions et demi d'anciens francs, un peu plus de quarante mille francs suisses.

Carlos compara les prix sur les sites Internet des maisons de vente. La cote de Fantin-Latour avait été multipliée par dix, voire par vingt au cours des années suivantes.

En 2000, un enchérisseur anonyme avait acquis à plus de trois millions et demi de dollars, au Rockefeller Center, un bouquet de fleurs du peintre dont la valeur avait été estimée entre deux millions et demi et trois millions.

Mais l'explosion des prix la plus spectaculaire s'était produite peu avant, lors d'une vente organisée par la succursale suisse de Murphy's : un bouquet de dahlias de Fantin-Latour, certes joli mais qui n'avait pas de quoi vous couper le souffle, était parti pour plus du double du prix estimé de six cent mille francs.

Deux enchérisseurs anonymes s'étaient livrés par téléphone à un duel impitoyable qui ne s'était achevé qu'après avoir atteint un million deux cent quatre-vingt mille. L'affaire avait fait quelques lignes dans les brèves des journaux, puis avait été rapidement oubliée.

Une bourrasque ouvrit brutalement la fenêtre et balaya de la table les pages de documentation déjà imprimées. Carlos ferma la fenêtre et ramassa les feuilles. D'ici une demi-heure, elles seraient posées sur le plateau, à côté de la tasse de thé vert avec laquelle il avait coutume de sortir Don John de sa sieste.

Il reprit sa place devant l'écran et inscrivit la somme dans la lettre standard de demande d'acompte. Allmen étant trop élégant pour évoquer ce genre de questions avec les clients, et Carlos écrivant mal l'allemand, Don John lui avait rédigé ce modèle.

Il inscrivit une somme de douze mille francs, imprima la lettre, posa sa signature sophistiquée sous la ligne « frais et honoraires » et glissa le tout dans une enveloppe au dos de laquelle figuraient uniquement les discrètes initiales A. I. I., Allmen International Inquiries. Il l'affranchit et descendit l'escalier, traversa le minuscule vestibule et sortit dans le petit parc.

Carlos avait renoncé depuis très longtemps à s'agacer du fait que son *patrón* « oubliait » constamment d'encaisser les acomptes. Au début, il avait encore tenté d'argumenter : l'avance ne prouvait pas seulement le sérieux du commanditaire, mais aussi celle du commandité. Allmen ne l'avait jamais contredit. Mais n'avait jamais encaissé d'acompte pour autant.

— On pourrait croire que nous avons besoin de cet argent, avait-il expliqué un jour.

— *Con todo el respeto*, Don John, avait répondu Carlos, sauf votre respect, c'est exact : nous avons besoin de cet argent.

— Qui a le plus besoin d'argent en récolte le moins, répondait chaque fois Allmen.

Le vent d'avril ramenait sur le chemin du jardin les pétales jaunes, rouges et orange des rhododendrons en fleurs. Carlos entreprit de les balayer l'après-midi même, avant que la pluie ne les colle aux dalles de pierre.

Il avait atteint l'endroit où le sentier décrivait un angle droit et courait le long de la somptueuse façade pour rejoindre l'entrée principale de la villa Schwarzacker. Dans la grande salle de réunion, quelques messieurs installés à une table regardaient fixement, comme hypnotisés, un écran où brillaient graphiques, symboles et chiffres.

Du temps d'Allmen, la grande salle de conférences avait été la pièce la plus élégante de la villa. Chaque fois que Carlos passait devant, il était pris de nostalgie en se rappelant l'odeur des parfums et des cigares coûteux qui emplissaient cette pièce presque tous les week-ends. Allmen ne semblait pas en revanche avoir été touché par la perte de sa résidence et sa métamorphose en un paysage de bureau sans âme. Comme beaucoup de joueurs, Allmen était un bon perdant.

Carlos tourna dans le chemin droit et jalonné de plates-bandes de rosiers qui reliait la porte de la maison et le portail en fer forgé. Au moment où il allait l'atteindre, il s'ouvrit et María Moreno entra. Carlos sentit son cœur battre un peu, comme chaque fois qu'il se retrouvait devant elle. Le vent avait détaché une mèche de sa coiffure sévère et relevée et la lui soufflait dans le visage. María posa ses deux cabas et voulut embrasser Carlos sur la bouche. Il la repoussa et elle lui rit au nez. Dans la région d'où venait Carlos, on ne s'embrassait pas en public. Quel que soit l'amour qu'on se portait.

Il emprunta le trottoir étroit qui longeait les haies impénétrables de l'ancienne villa pour rejoindre le croisement où se trouvait la boîte aux lettres jaune. Il avait appris par cœur les heures de levée pour éviter la rencontre avec le facteur. Quand on séjournait dans un pays avec le statut qui était le sien, mieux valait faire un détour si l'on risquait de rencontrer un uniforme. C'était en tout cas son point de vue.

Carlos glissa la lettre dans la fente et fit demi-tour. Il allait rarement plus loin qu'à la boîte aux lettres. Pas comme María Moreno qui se déplaçait dans la ville comme si elle y était née. Bien sûr, elle n'avait pas non plus de papiers valables, mais elle savait que sainte Marie de Compostelle était de son côté. C'est à elle qu'on avait emprunté son nom de baptême, et jusqu'à ce jour la Vierge lui avait toujours apporté son aide.

Le vent avait traîné jusqu'ici des nuages gris foncé et les avait laissés sur place. Carlos pressa un peu le pas.

Le fait que le tableau volé soit lui-même le fruit d'une rapine lui plaisait. Il pouvait ainsi être à peu près sûr que la cliente ne ferait pas intervenir la police. Il n'aimait pas les affaires où Allmen International collaborait avec celle-ci. C'était, là encore, lié à son statut de clandestin.

Les premières gouttes tombèrent. Carlos se mit à courir. Il portait un costume d'Allmen retouché à ses mesures et ne savait pas quels dégâts la pluie pouvait causer sur ce cachemire.

Lorsqu'il atteignit la porte du jardin, les fleurs de rhododendron collaient déjà sur le chemin dallé.

5

María Moreno avait préparé le thé pour Señor John et attendait Carlos. Elle n'aurait vu aucune objection à porter elle-même la boisson au chevet d'Allmen, mais Carlos ne le voulait pas. Il était un peu prude. Il ne couchait avec elle que lorsque le *patrón* n'était pas à la maison, et lorsqu'il se laissait entraîner à faire une exception, il lui posait la main sur la bouche lorsqu'elle devenait un peu bruyante. Comme si Señor John ne savait pas ce que font deux adultes qui dorment dans le même lit.

D'une manière générale, elle trouvait que Carlos exagérait lorsqu'il était question du respect dû à son patron. Alors que celui-ci lui versait systématiquement son salaire en retard. Qu'il lui faisait faire des heures supplémentaires sans même le remarquer. Qu'il oubliait de décommander les repas quand il ne s'y présentait pas. Qu'il lui empruntait de l'argent et se faisait promener par un chauffeur au lieu de prendre le tram. Carlos n'admettait pas la moindre critique contre son Don John.

Elle aussi, elle l'aimait bien. Il était sympathique et, quand il avait de l'argent, généreux. Mais c'était un grand enfant. Et aux enfants – elle avait appris cela au cours des nombreuses années passées comme *niñera*, nurse chez des riches –, on ne devait pas tout passer. Les enfants ont besoin qu'on leur fixe des limites. Même les grands.

Elle sortit de la cuisine en portant le plateau du thé et le posa sur la table des repas, dans le salon étroit. Elle entendit alors les premières gouttes. Elles tombaient sur le toit de verre de la grande bibliothèque, qui avait jadis été une serre. D'abord timidement, puis plus régulièrement, et pour finir comme un roulement de tambour en accélération.

Elle vérifia que les bassines se trouvaient bien en dessous des fuites habituelles, passa dans le vestibule, attrapa le parapluie en soie d'Allmen, celui au pommeau en cerisier, et alla à la rencontre de Carlos.

6

Accroupi devant son patron, Carlos lui polissait ses chaussures hongroises sur mesure avec un mystérieux liquide dont Allmen soupçonnait qu'il s'agissait tout simplement d'un peu d'eau.

Assis sur son tabouret de piano levé au maximum, le pied gauche sur la caisse à cirer noire de Carlos, Allmen feuilletait les papiers que celui-ci lui avait apportés au lit avec son thé.

— Ce tableau précisément, volé en plein milieu de l'exposition! Quelle déclaration d'amour!

— *Así es*, Don John répondit Carlos sans lever les yeux, avant de taper sur la semelle de son client.

Le signal indiquant qu'il fallait changer de pied.

Allmen posa l'autre sur la caisse. Carlos versa le liquide. Il y a peut-être un peu de savon dans l'eau, se dit Allmen.

— Elle garde le tableau caché pendant soixante ans, et voilà qu'on le lui vole. Quelle ironie du sort!

Carlos ne répondit rien, se contenta de hocher la tête et tapa sur la semelle pour annoncer le prochain changement de côté.

— Vous croyez qu'il a volé le tableau en personne, Carlos ? Ou qu'il a commandé le vol à quelqu'un ?

— *A saber*, Don John, qui sait ? répondit Carlos en commençant à passer de la crème sur la chaussure gauche.

— Quoi qu'il en soit, c'est le cadeau d'un admira- teur criminel.

— *Cómo no*, Don John.

— Mais qu'est-ce qu'une riche héritière a à voir avec des gens pareils, Carlos ?

— *Un novio*, Don John. Les amoureux offrent des fleurs.

Carlos avait à présent étalé de la crème sur les deux chaussures et commençait à les polir avec sa grande brosse. Il tenait la paume de la main ouverte à côté du soulier et passait la brosse dessus comme s'il voulait en vérifier l'élasticité avant chaque passage.

— Et maintenant, qui l'a volé, soixante ans plus tard, et pour la deuxième fois ? Des professionnels, car l'appartement est difficile d'accès, constata Allmen.

— Ou quelqu'un qui a accès au quatrième étage, compléta Carlos.

Allmen acquiesça.

— Ou qui avait des complices au quatrième. Je me fais remettre une liste.

Carlos donna le signal du changement de pied.

— *Una sugerencia, nada más* – une suggestion, rien de plus.

Allmen avait appris à prêter l'oreille aux suggestions de Carlos.

— Une liste de tous les clients de l'hôtel depuis le 4 avril serait peut-être aussi intéressante.

— J'y ai déjà réfléchi, affirma Allmen.

En vérité il n'avait pas songé un seul instant à la suite de la procédure. Au cours de la première phase des investigations, qui débutait traditionnellement par une session de cirage de chaussures, il avait l'habitude de se fier à Carlos.

— Il faudrait aussi recenser les fournisseurs et les artisans, compléta celui-ci.

— Lingerie, nettoyage à sec, traiteurs de luxe, cavistes, poursuivit Allmen pour apporter lui aussi quelque chose au débat.

Carlos confirma d'un geste de la tête.

— Tous ceux qui sont entrés et qui sont sortis.

— Avec un bagage dans lequel le tableau aurait pu tenir. À peu près quarante centimètres sur cinquante, précisa Allmen.

— Plus le cadre. Près de dix centimètres de large. Donc, au total, à peu près soixante sur soixante-dix, Don John.

Allmen ne répondit rien, mais Carlos vit à son expression que ces ergoteries sur les chiffres l'énervaient.

— *Más o menos*, ajouta-t-il : plus ou moins.

Carlos avait sorti le chiffon à lustrer de la caisse noire et, comme par magie, faisait jaillir l'éclat final sur les chaussures d'Allmen. Celui-ci le regardait faire, perdu dans ses pensées.

— *Una sugerencia, nada más.*

— *Diga.*

— Vous devriez peut-être vous installer quelque temps au Schlosshotel.

Allmen avait pris cette décision depuis très long-temps. Mais il fit comme s'il devait étudier toutes les implications de cette proposition.

— On pourra difficilement l'éviter, finit-il par sou-pirer, en s'agaçant de l'once de sourire entendu qu'il crut découvrir sur les lèvres de Carlos.

7

La suite d'Allmen au troisième étage sentait un peu le renfermé. De lourds rideaux bordeaux cintrés de cordons dorés avalaient le peu de lumière qui perçait à travers des voilages presque opaques. Les rembour-rages des sièges, tassés par l'usage, étaient ornés de rayures Louis-Philippe ternies et de sombres scènes en tapisserie. Les meubles de style – commodes, consoles, tables de chevet, bureaux à dessus de cuir – avaient tous besoin d'une restauration. Des carpettes persanes étaient réparties d'une manière apparemment arbitraire sur l'épaisse moquette brun-vert – c'était sans doute, en réalité, pour dissimuler des taches qui ne voulaient plus partir. Le double lit surélevé était plein de coussins en velours qui sentaient la poussière.

Le plus beau, c'était la porte de communication entre le salon et la chambre à coucher. Elle était com-posée de deux ailes qui montaient jusqu'au haut pla-fond et donnaient à la suite une sorte de majesté que même son aspect confit ne suffisait pas à démentir.

Allmen ouvrit la double fenêtre. Le bruit de la cir-culation dans la rue qui séparait l'hôtel du rivage entra dans la pièce. Derrière les platanes encore nus qui jalonnaient la promenade, le vent soufflait de petites couronnes d'écume dans le lac. Le ciel était de nouveau bleu, quelques nuages hâtifs mis à part.

Il commença à sortir ses costumes de sa malle de voyage et à les ranger dans l'armoire. Il avait chargé Carlos d'en emballer sept. Non qu'il ait eu l'intention de rester si longtemps. Mais il avait l'habitude de se changer pour le soir. Et parce que le choix d'un costume ne dépendait pas seulement du climat et de l'occasion, mais aussi de son humeur, il jugea qu'une sélection de sept complets n'était pas exagérée.

Un appel de Carlos à Cheryl Talfeld n'avait pas suffi à lui assurer la « suite du lac » et un accueil prévenant. Elle ne semblait pas avoir trop de pouvoirs et dut en référer à sa patronne. Elle rappela dix minutes plus tard pour l'informer de l'accord de Mme Gutbauer et lui faire savoir qu'il ne devait rien entreprendre ni parler à personne avant qu'ils n'aient eu une nouvelle discussion. Elle donna à Carlos un numéro intérieur qu'il devrait appeler dès qu'il aurait pris possession de sa chambre. Ce qu'il était en train de faire. Ils convinrent de se retrouver dix minutes plus tard au jardin d'hiver.

La grande véranda se trouvait à l'arrière du Schloss-hotel. Elle était meublée de quelques groupes de fauteuils en rotin, de palmiers d'intérieur, d'une petite fontaine en fonte et d'une vitrine réfrigérée où étaient présentées les pâtisseries servies en milieu d'après-midi, avec le thé.

On voyait par les grandes fenêtres le petit reste du parc qui avait autrefois appartenu à l'hôtel. Il s'achevait, au bout d'un peu moins de dix mètres, sur un pavillon auquel menait un chemin de gravier. Juste derrière se dressait un mur surplombé par un immeuble de bureaux sur lequel on avait peint un jardin en symétrie ; il était censé donner l'illusion du lointain.

Mme Talfeld était l'unique cliente présente. Elle était assise dans l'un des profonds fauteuils en corbeille et lui fit signe lorsqu'il entra. Allmen s'assit à côté d'elle. Il voulut commander un Ginger Ale, mais lorsqu'il vit son verre à cocktail presque vide, à l'exception d'une cerise marasquin, il changea pour un highball. Mme Talfeld désigna son verre sans un mot, le serveur hocha la tête.

Son maquillage était aussi sévère que la veille et sa permanente donnait l'impression que pas un cheveu n'avait bougé depuis. Cette fois son costume n'était pas noir mais d'un rouge à nuance bleue qui faisait paraître son fond de teint encore plus clair. Elle lui adressa un sourire fugitif et en vint aussitôt au fait :

— Il ne faut pas qu'on sache, dans l'établissement, ce que vous recherchez, je pense que vous l'avez bien compris. Ce qui a disparu n'a jamais existé.

— C'est de ce principe que je suis parti.

— Bien.

Mme Talfeld but la dernière gorgée de son verre et mangea la cerise.

— Alors, comment comptez-vous procéder ?

— Discrètement.

Allmen sourit. Mais Cheryl Talfeld resta de marbre.

— Il faut que nous nous mettions d'accord sur les termes.

— Vous avez une proposition ?

— Non, et vous ?

Allmen réfléchit. Le serveur lui permit de prendre un peu de temps : il apportait les drinks. Celui de Mme Talfeld se révéla être un Manhattan.

— Nous menons une étude de sécurité. À la demande de la compagnie d'assurances.

— Et si quelqu'un va vérifier chez l'assureur ?

— Pas à la demande de la compagnie actuelle L'hôtel a demandé un devis à une entreprise concurrente, et celle-ci dresse à présent le bilan des risques.

Elle réfléchit un bref instant avant d'acquiescer.

— Ça ne paraît bien. Comment s'appelle l'entreprise concurrente ?

— Aucune idée. Je ne connais pas grand-chose en assurances.

— Prenons la vôtre.

— Je n'en ai pas.

— Un détective sans assurance ?

— Un détective ne connaît pas la peur.

Cheryl Talfeld rit alors pour la première fois.

— Le nom de la compagnie est confidentiel, proposa Allmen. Allmen International Inquiries ne donne jamais le nom de ses mandataires.

Mme Talfeld s'en contenta. Elle prit son Manhattan et en but une bonne gorgée, d'un geste qui n'avait rien de féminin.

— Et le personnel de Mme Gutbauer ? Lui est au courant du vol.

— Deux personnes seulement le sont : Monsieur Louis, le majordome, et Carmen, la femme de chambre qui s'occupe de Mme Gutbauer. Tous deux sont d'une fiabilité absolue.

— Et puis… (Allmen jeta un coup d'œil à ses notes.) Rosa Cotti, la remplaçante de Carmen ?

— Elle était fournie par une agence.

— Mais elle sait que le tableau a disparu.

— Monsieur Louis lui a dit qu'il était réapparu.

— Et elle l'a cru ?

— Pourquoi pas ?

— Par exemple parce que c'était elle.

— Je vous l'ai dit : trop bête pour ça.

Carlos avait appris à Allmen à ne pas sous-estimer l'intelligence de ses contemporains.

— Peut-être qu'elle joue l'idiote, tout simplement.

— Pour ça aussi, elle est trop bête.

Il changea de sujet.

— Il y a d'autres règles du jeu ?

— Fiez-vous à M. Klettmann, le concierge. Cela fait plus de trente ans qu'il est ici.

Allmen l'avait remarqué, celui-là, il aurait été difficile de ne pas le voir. C'était un homme grand et mince, dépourvu de cils et de sourcils. La paupière de son œil droit ne s'ouvrait pas complètement et il était forcé de lever le menton, ce qui donnait encore plus de dignité à sa fonction. M. Klettmann avait bien entendu accueilli Allmen en l'appelant par son nom.

— Pouvez-vous me donner une liste de tous les gens qui avaient accès au quatrième étage au moment critique ?

— Ça, par exemple ?

Mme Talfeld sortit une feuille de son sac à main et la lui tendit. Sous l'intitulé « personnel » figurait une liste de neuf noms, y compris celui de Cheryl Talfeld, *Personal Assistant*. En dessous, dans la rubrique « fournisseurs », trois autres noms : Gorandi, plombier ; Salmeier, « Kinohow » ; Dr Aldo Kersthuber, médecin. Allmen nota que les médecins de Mme Gutbauer étaient classés dans la catégorie « fournisseurs ».

— Gorandi a purgé les radiateurs, Salmeier a changé l'ampoule du vidéoprojecteur et le Dr Kersthuber est venu pour une visite de routine. Cela m'étonnerait que vous trouviez votre bonheur là-dedans.

— Il faut bien que quelqu'un ait fait sortir le tableau de l'étage. Ou ait laissé entrer quelqu'un d'autre. Un membre du personnel de l'hôtel. Ou bien un fournisseur. Ou bien un client du restaurant. Ou de l'hôtel.

— Les clients, protesta Cheryl Talfeld, vous n'interrogerez pas les clients, bien entendu.

— Sauf s'ils étaient déjà ici le 4 avril.

Elle hésita. Il apporta une nouvelle restriction :

— Et si cela devait se révéler nécessaire.

— Les clients ne passent jamais beaucoup de temps ici. Cela concernerait surtout les quelques personnes qui ont une chambre à demeure. Pourquoi ceux-là iraient-ils tout d'un coup voler des tableaux ?

Ils se trouvaient à présent sur un terrain qu'Allmen connaissait parfaitement.

— Pour des raisons financières ?

Mme Talfeld répondit d'un geste négatif et déterminé de la tête.

— Ce sont tous les trois des clients de milieu bien situé. Les suites ne sont pas bon marché.

— Justement.

Elle haussa les épaules.

— D'accord. Mais uniquement dans le cas où vous n'avancez pas autrement.

— Promis.

Ils burent ensemble la deuxième gorgée. Après cela, le verre de Cheryl Talfeld était vide.

8

M. Klettmann était occupé. Debout dans sa loge, penché sur un plan de ville, il expliquait à un couple russe le chemin qui lui permettrait de rejoindre «la rue avec les montres les plus chères», comme disait l'homme. Allmen jugea que le concierge parlait un russe tout à fait acceptable. Le seul mot qu'il ne comprenait pas était игрушки, *igrouchki*. Allmen savait que cela signifiait «jouets», mais fit, par courtoisie, comme s'il était plongé dans son journal et non dans la conversation des trois personnages.

Il lui fallut donc attendre que M. Klettmann ait compris que le couple cherchait un cadeau à rapporter à un enfant.

— Que puis-je faire pour vous, monsieur von All-men? demanda-t-il en insistant sur le nom propre lorsque les deux Russes s'en allèrent enfin.

— Je voulais vous demander un rendez-vous.

Allmen sortit sa carte de derrière sa pochette. Le concierge ne la regarda pas.

— Je suis au courant, dit-il avant de répéter : Que puis-je faire pour vous?

— J'ai besoin d'une liste de tous les départs entre le 4 et le 7 avril.

M. Klettmann se fit un pense-bête. Allmen remarqua que le dos de ses mains aussi était glabre.

— Autre chose, monsieur von Allmen?

— Une liste des fournisseurs, et une du personnel.

Le concierge prit note.

— Puis-je vous demander à quelles fins vous en avez besoin? demanda-t-il sans lever les yeux de son bloc.

— Une sorte d'expérience. Nous prenons pour hypothèse un laps de temps donné et nous examinons qui aurait eu, à ce moment-là, la possibilité de faire sortir des objets de valeur de l'établissement.

Allmen n'était tout de même pas tout à fait certain que les éléments de langage convenus avec Mme Talfeld aient été réellement convaincants.

— Le personnel doit pointer à l'entrée et à la sortie de l'entrée de service, et montrer le contenu de ses poches ou de ses bagages, s'il en a. Depuis qu'un technicien d'intérieur a fait sortir, il y a plus de vingt ans, un coffre de chambre et son contenu.

— Le personnel de Mme Gutbauer est-il soumis aux mêmes règles ?

M. Klettmann fit semblant de ne pas comprendre.

— Le personnel du quatrième étage aussi ?

— Cela va de soi. La totalité du personnel.

— Un membre du personnel de l'hôtel a-t-il accès au quatrième ?

— Personne.

— Et en cas d'urgence ?

— Il y a une clef d'urgence.

— Qui se trouve où ?

— Dans le coffre.

— Et qui a accès au coffre ?

— La réception, le concierge, le bureau.

— J'aurais aussi besoin de ces noms-là, je vous prie.

Le concierge hocha brièvement la tête.

— Puis-je autre chose pour vous ?

— Rien pour l'instant, merci pour votre aide. Je vais m'installer au lobby en attendant.

— Si vous tenez à ce point à la discrétion, nous devrions attendre que la dernière personne du bureau soit rentrée chez elle. À sept heures et demie. Je peux vous faire porter les documents à huit heures dans votre chambre.

Il était un peu moins de six heures. Allmen remercia, passa dans sa suite et prit sur sa table de chevet le livre dont il venait juste d'entamer la relecture : *The Quiet American* de Graham Greene.

C'était l'un des rares aspects agréables de ce métier : on avait beaucoup de temps pour lire.

9

Allmen venait tout juste de finir de se changer pour le soir lorsqu'on frappa à sa porte. C'était M. Klettmann, venu lui remettre les documents en main propre. Il avait ôté son uniforme et portait une veste de cuir qui ne convenait pas à la dignité de son allure. Allmen le pria d'entrer et lui proposa un siège parmi le petit groupe de fauteuils assortis. Ils s'assirent et le concierge lui tendit une serviette pleine de papiers.

On trouvait au-dessus de la liasse un tableau de plusieurs pages contenant les noms et adresses des occupants de l'hôtel qui l'avaient quitté entre le 4 et le 7 avril. Ils étaient huit.

— Je pensais qu'il y en aurait plus, nota Allmen.

— Plus ? Cela fait plus de la moitié.

Allmen le regarda, surpris. M. Klettmann s'expliqua :

— L'hôtel a trente-huit chambres et avait moins de cinquante pour cent de taux de remplissage. Dix-huit chambres étaient occupées. Dont trois par des clients permanents. Si nous les enlevons, cela fait quinze. Huit, cela fait donc plus de la moitié.

— Moins de cinquante pour cent d'occupation ? Ça arrive souvent ?

M. Klettmann eut un sourire amer.

— Pas souvent. La plupart du temps le taux est inférieur.

Allmen jeta un coup d'œil à la liste suivante. Elle contenait des noms, des années de naissance, les dates d'entrée en service et les fonctions des employés.

— Vingt-six, commenta le concierge. Plus que de clients à ce moment-là.

La troisième liste contenait la liste des fournisseurs. Marchands d'épicerie fine, boulangers, bouchers, cavistes et livreurs de boissons, traiteur, plombier, mécanicien d'ascenseur, électricien, etc. Derrière ceux qui se trouvaient dans l'établissement pendant ces trois jours, M. Klettmann avait dessiné un petit crochet. Ils étaient sept.

Allmen y jeta un coup d'œil et rangea tous les documents dans la petite serviette. Le concierge se leva et prit congé. Lorsqu'il eut ouvert celle des deux portes qui donnait sur l'intérieur, il demanda :

— Qu'est-ce qui a été volé ?

Allmen fut un peu pris de court par la question et hésita. Klettmann n'en démordit pas :

— Un tableau du… du quatrième ?

— Comme je vous l'ai dit, je fais un bilan de sécurité.

— Pour qui ?

— Pour une cliente travaillant dans le secteur des assurances.

M. Klettmann le scruta de son œil et demi et afficha un mince sourire.

— La discrétion est aussi mon métier.

Ils se souhaitèrent une bonne soirée. M. Klettmann s'éclipsa en prenant l'ascenseur de service, Allmen emprunta peu après celui des clients.

Cette fois le piano-bar jouait en live. Une blonde trapue interprétait les standards d'une main routinière et lui décocha un sourire lorsqu'il s'assit au comptoir. Elle devait avoir un peu plus de la cinquantaine et portait une robe de cocktail.

Il commanda une margarita dry avec peu de Cointreau et observa le barman qui préparait le drink. C'était le même que lors de sa première rencontre avec Cheryl Talfeld : un homme d'un certain âge, légèrement voûté, portant avec élégance un smoking un peu usé. Il s'y connaissait manifestement mieux en mélanges de cocktail qu'en préparation du café. Il travaillait vite, élégamment et sans shaker. Et le résultat avait exactement le goût qu'appréciait Allmen : pas trop sucré, pas trop aigre et juste au-dessus du point de gel.

Seules deux tables étaient occupées. À l'une était assis le couple russe de l'après-midi. À l'autre, un vieillard rabougri, tête de tortue, crâne chauve, qui suçotait un cigare et déplaçait les lèvres comme s'il tenait un monologue.

Allmen laissa son regard revenir à sa margarita et croisa celui de la pianiste. Il répondit à son sourire, bien qu'il ait su qu'il était du même coup devenu son unique auditeur. Cela arrivait chaque fois avec les pianistes de bar. Il se laissa emporter dans son monologue musical, se laissa arracher un hochement de tête de connaisseur, un mince applaudissement et un drink «de la part du monsieur installé au comptoir».

Un couple entra dans le bar et s'installa à une table

en alcôve, très loin des vitrines. Allmen les toisa un bref instant et se dit : Le Schlosshotel est aujourd'hui tellement *out* que l'on peut y venir quand on ne veut pas être vu.

Le vieil homme fit énergiquement tinter son verre avec sa chevalière et sortit son cou plissé de son col bien trop large. Le barman lui apporta aussitôt l'addition, l'aida à s'arracher à son siège et lui fit franchir en le soutenant la porte battante qui donnait sur le restaurant.

— Un client à demeure ? demanda Allmen quand le barman revint.

— Depuis huit ans. Et il continue à prendre chaque jour son cohiba et son rhum. Il a tout de même plus de quatre-vingt-dix ans.

— Enviable.

Le barman l'approuva.

— Surtout de pouvoir se le permettre.

Cet aspect des choses surprit Allmen. Lui-même n'avait jamais peur de voir venir le jour où il ne pourrait plus se permettre quelque chose. Il commanda encore une margarita.

— Et qu'est-ce que vous buvez ?

— Une bière. Merci.

— Et la femme au piano ?

— Un quart de bordeaux.

Le barman alla lui porter le vin et revint en lui demandant ce qu'il aimerait entendre.

— Cole Porter. *In the Still of the Night*, souhaita-t-il.

Peut-être le vœu musical et la bière avaient-ils été deux erreurs. Mais peut-être pas non plus. Les barmen et les pianistes de bar sont de bons observateurs.

10

Il n'y avait pas grand-monde non plus au grill du Schlosshotel. Si peu que le maître d'hôtel l'avait installé à une table pour quatre près de la fenêtre. Allmen avait empêché un serveur de tirer le rideau et regardait le crépuscule tomber rapidement sur la route, le lac et la promenade.

Les voitures roulaient phares allumés, les anciens réverbères à gaz électrifiés plongeaient les rares piétons dans leur lumière froide, on apercevait sur l'autre rive la lumière scintillante des faubourgs.

Il flottait un agréable parfum d'*ancienne cuisine* – beurre fondu, crème chauffée, sauces réduites, une odeur de cuit, de rôti et de grillé. Allmen avait commandé un Chambertin Clos de Bèze 2006 qu'on lui avait servi un peu trop chaud dans un gigantesque verre à bourgogne. La bouteille portait un autocollant rond sur lequel figurait le numéro de sa chambre. On partait du principe qu'il n'arriverait pas à tout boire en une fois.

Le vieux client à demeure était installé à une table pour deux, il avait noué sa serviette autour de son cou et poursuivait entre deux bouchées son monologue atone. Il mangeait de minuscules portions du menu du soir – poularde aux croquettes et aux haricots – et buvait à petites gorgées son vin, dont la bouteille portait elle aussi un numéro de chambre.

À une table située près de la fenêtre aux rideaux tirés trônaient deux vieilles dames dont les bouteilles d'eau minérale – une avec gaz, l'autre sans – étaient elles aussi pourvues d'autocollants ronds. Lorsque Allmen était entré, elles prenaient déjà leur dessert. La première était maigre, l'autre rondelette, mais on voyait à leurs visages qu'il s'agissait de deux sœurs. Toutes deux avaient à côté de leur assiette un pilulier hebdomadaire dans lequel elles piochèrent avec concentration une fois le dessert terminé. Allmen supposa que ces deux vieilles sœurs étaient elles aussi des clients à demeure.

Hormis le couple russe et le couple local, on trouvait quatre hommes d'affaires qui discutaient en mauvais anglais, chacun avec l'accent épais de son pays d'origine, un jeune homme qui passa tout son repas le regard rivé à son iPad, une mère asiatique avec sa fille adolescente et un homme aux joues creuses, portant beau la quarantaine, qui commanda un Campari en suisse allemand et dit qu'il attendait encore quelqu'un.

Allmen avait commandé un tournedos Rossini, cela lui semblait adéquat pour un grill. Il n'y avait pas de restes et il était servi avec du gratin dauphinois et deux fagots de haricots entourés d'un morceau de lard. Ceux-là, il n'y toucha pas. Ils lui rappelaient trop ces restaurants campagnards tape-à-l'œil où son père nouveau riche le sortait parfois les dimanches, dans le temps.

Les deux sœurs quittèrent le restaurant. La replète en avant, s'appuyant sur deux cannes, la mince derrière portant leurs deux sacs. L'autre client à demeure interrompit son monologue, les suivit des yeux et fit de la main un geste de rejet. Puis il reprit sa conversation avec le compagnon de table invisible.

Un garçon resservit du vin à Allmen et débarrassa.

— Puis-je vous apporter la carte des desserts ? demanda-t-il.

Le serveur avait une chevelure épaisse et crépue

comme le petit berger de Heidi, ce qui formait un contraste étrange avec son visage ridé.

Allmen commanda un peu de fromage. Il avait l'intention de rendre superflu le numéro de chambre collé sur la bouteille.

Les accords de piano lui parvinrent depuis le bar, le murmure assourdi des clients était parfois recouvert par les éclats de rire des hommes d'affaires baragouineurs. Allmen ressentit un bien-être légèrement inadapté à sa mission de détective.

Ce fut ensuite au tour du couple clandestin de sortir d'un pas hâtif et palpitant. L'un des hommes d'affaires fit rire ses auditeurs avec une grivoiserie.

La mère et la fille se disputaient à présent d'une voix sourde, en mandarin. Le couple russe se faisait face sans dire un mot et attendait le plat suivant. Elle regardait ses mains posées à côté de l'assiette de présentation, lui buvait de la bière à grandes gorgées. Le jeune homme écarta son assiette vide pour poser l'iPad à sa place et se mit à pianoter. Le joli garçon avait cessé d'attendre, il mangeait à présent une entrecôte et une salade mixte, l'air agacé. Le vieux client à demeure était assis, recroquevillé sur sa chaise, immobile, comme s'il était mort entre deux bouchées.

Le chariot à fromages était petit, mais la sélection soignée. Pas trop frais, pas trop fait, pas trop froid. Allmen interrompit ses observations et apprécia cette symbiose toujours inimitable que nouent fromage à point et vin capiteux.

Cela jusqu'à ce qu'il soit dérangé par l'agitation en provenance de la table du vieux client. Deux serveurs et le barman s'étaient postés autour de la table. Le portier de nuit arriva en toute hâte.

— Monsieur Frey! s'exclama l'un d'eux.

— Hoho, monsieur Frey? Vous ne vous sentez pas bien? demanda un autre.

Les clients, intrigués, avaient tourné le regard vers cet attroupement. L'homme qui portait beau se leva, se fraya un chemin et se mit à manipuler M. Frey avec des gestes de professionnel, secoua la tête, dit quelque chose au maître d'hôtel et passa un bref coup de téléphone. Le maître d'hôtel donna un ordre à un serveur, celui-ci s'éloigna et revint aussitôt avec une nappe.

Ils l'étalèrent sur M. Frey.

11

Le grill avait été évacué, on servait les clients au bar.

Allmen n'avait aucune envie d'avoir de la compagnie, mais il lui fallait un armagnac. Il le but seul dans le hall d'entrée désert et plongé dans la pénombre, assis sur un fauteuil de l'un des petits groupes de sièges.

Le portier arriva en passant par une porte située près de l'ascenseur et barrée d'un écriteau « Privé ». Il traversa le hall à grands pas sans remarquer Allmen, se dirigea vers l'issue principale et sortit. À travers la porte vitrée, Allmen le vit attendre patiemment.

Le portier de nuit était aux antipodes de M. Klettmann, le concierge mince, long et chauve. Il était trapu et musclé, portait une moustache hérissée, ses cheveux étaient durs et récalcitrants. Il avait allumé une cigarette, la tenait au creux de sa main et tirait des bouffées à de brefs intervalles.

Un tintement annonça l'arrivée de l'ascenseur, les portes s'ouvrirent et Mme Gutbauer entra en trottinant rapidement dans le hall, derrière son déambulateur. Son infirmière la soutenait, Cheryl Talfeld les suivait.

Les trois femmes se dirigèrent vers la porte par laquelle était sorti le portier de nuit et s'éclipsèrent.

Allmen posa sur la petite table basse le verre à cognac qu'il avait réchauffé entre ses deux mains, se dirigea vers cette porte mystérieuse et l'ouvrit. Il se retrouva dans un couloir équipé de trois portes. Celle située à l'extrémité du corridor était ouverte, il flottait une odeur de nourriture.

Quand il l'eut franchie, il se trouva dans la cuisine. Près de la double porte battante donnant sur le restaurant, la pelote formée par les cuisiniers et les commis s'ouvrit pour laisser passer Mme Gutbauer et ses accompagnatrices.

Allmen les avait presque rejointes et le personnel de cuisine, supposant qu'il était avec elles, voulut également lui permettre d'entrer. Mais il les détrompa d'un geste de la tête et resta debout sur le seuil de la porte.

Les serveurs, le maître d'hôtel et le client qui était manifestement médecin se tenaient devant la table du vieil homme mort. Mme Gutbauer avança jusqu'à eux.

Le maître d'hôtel souleva la nappe. M. Frey était resté dans la position où l'avait surpris la mort : recroquevillé, le menton sur la poitrine, les bras sur les accoudoirs. Avec sa peau blanche comme de la chaux, ses orbites presque noires et sa bouche entrouverte sur un sourire dévoilant un dentier, son crâne avait tout d'une tête de squelette.

Mme Gutbauer le regarda fixement, sans rien dire. Et soudain sa voix perça le silence.

— Hardy, Hardy, dit-elle d'un ton réprobateur.

Puis elle fit faire demi-tour à son déambulateur et,

suivie de son escorte, mit de nouveau le cap sur la porte battante.

Les curieux rassemblés dans la cuisine s'écartèrent devant les trois femmes. Seule Cheryl Talfeld balaya Allmen du regard en passant devant lui. Il les suivit à quelque distance et les vit s'engouffrer dans l'ascenseur.

Tout cela avait duré à peine quelques minutes. Allmen revint à son armagnac. Le « Hardy, Hardy » ne lui sortait pas de la tête. D'où connaissait-elle le mort ? Quelle histoire dissimulait cette scène ?

La porte d'entrée s'ouvrit et le portier de nuit revint à l'intérieur de l'hôtel, suivi d'une urgentiste et d'infirmiers du Samu portant une civière roulante. Il les dirigea vers la porte qui menait dans la cuisine.

À peine le portier revenu, deux policiers entrèrent dans le hall. Ils étaient accompagnés par un homme en civil, probablement de la même maison. Ils ne restèrent pas longtemps, et l'on poussa la civière vers l'extérieur peu après qu'ils furent sortis.

Un homme entra dans le hall de réception et barra le chemin aux ambulanciers.

— Que lui est-il arrivé ? Je suis son petit-neveu.

L'homme devait avoir l'âge d'Allmen. Il avait une épaisse chevelure blond clair, portait un costume noir avec une large cravate blanche à rayures jaunes dont le nœud était desserré sur son col de chemise ouverte, et avait passé un trench-coat beige clair. Tout laissait penser qu'on l'avait appelé au beau milieu d'un dîner.

L'urgentiste, une femme, souleva le drap vert au-dessus du visage du défunt.

— De quoi est-il mort ?

— Son cœur s'est arrêté de battre, expliqua-t-elle prudemment.

— Comme ça, simplement ? (La question du neveu avait un goût de reproche.) Où l'emmenez-vous ?

— À l'institut médico-légal. Vous voulez venir ?

Le neveu hésita.

— Ça se fait couramment ? finit-il par demander.

L'urgentiste haussa les épaules. Elle était jeune, elle avait l'air grave et fatigué.

— Je veux dire : vous avez besoin de moi ?

— Besoin ? Non, besoin, non.

Elle suivit les infirmiers qui étaient déjà en train de faire descendre à la civière les quelques marches situées devant l'hôtel.

Le neveu resta en arrière, désemparé et toujours indécis.

Le portier de nuit le rejoignit.

— Venez au bar, M. Tenz, il vous faut un remontant. Vous ne pouvez plus rien pour lui maintenant.

Il posa le plat de la main sur son dos et le poussa doucement vers le bar.

Tenz ? Ce nom disait quelque chose à Allmen.

12

Dans le pays d'où Carlos était originaire, le sexe se pratiquait dans la discrétion. Les familles au complet dormaient dans une seule chambre et même, souvent, dans le même lit. Il fallait donc faire en sorte que cette partie de la vie familiale se déroule aussi imperceptiblement que possible.

María Moreno ne venait certes pas du Guatemala, mais de la Colombie. Elle et Carlos étaient en revanche issus d'un milieu social similaire : famille nombreuse, maison minuscule. Un jour où ce dernier, après un tête-à-tête particulièrement bruyant, lui avait demandé d'où elle tenait sa relation si naturelle avec ces choses-là, alors qu'elle avait grandi dans les mêmes conditions que lui, elle avait répondu : « *Por eso.* » Elle avait, expliqua-t-elle ensuite, souffert de cette pudibonderie, et n'était pas venue en Europe pour continuer à mener cette vie-là. Elle s'amusait de sa gêne et de la panique à l'idée que Don John pourrait entendre quelque chose.

— Don John, Don John… Tu crois qu'il pense que nous ne baisons pas ?

María s'était fait un devoir de rééduquer Carlos à une vie intime un peu plus naturelle et intensifiait ses efforts les jours où, comme celui-là, Don John était de sortie.

Elle venait tout juste de se déshabiller avec une lenteur excitante à côté du lit et lançait un regard de défi à Carlos, lequel, la couverture remontée jusqu'au cou, était en train de se débarrasser de son dernier sous-vêtement.

— *¡Venga!* dit-il.

Elle fit non de la tête.

— *¡Venga!* répéta Carlos.

Elle se contenta de rire.

Carlos repoussa la couverture et se leva. Au même instant, le téléphone sonna à l'étage inférieur.

Avant même qu'il n'ait réenfilé son caleçon, María avait dévalé l'escalier et décroché le téléphone. Elle était toute nue dans le vestibule lorsqu'elle décrocha et annonça « Allmen International Emergencies », comme elle le faisait toujours en cas d'appel après vingt heures.

— *Sí*, Señor John, dit-elle sans le moindre embarras. Il est ici. Un instant.

Carlos descendit les dernières marches de l'escalier de bois, prit le combiné, tira le cordon ressort jusqu'à ce qu'il parvienne à atteindre l'interrupteur, éteignit la lumière et dit :

— *Muy buenas noches*, Don John.

13

Après l'évacuation du client mort, le portier de nuit avait rejoint son retranchement derrière le comptoir d'accueil. Il y était assis le dos au hall de réception et feuilletait une revue. Allmen dut prononcer deux fois, d'une voix forte et distincte, le numéro de sa chambre avant que l'homme ne le remarque et ne lui remette sa clef.

— Le défunt était un ami de Mme Gutbauer ?

Le portier s'en tint aux règles de la maison : on n'était manifestement rien censé savoir à propos d'une Mme Gutbauer.

— Mme Gutbauer ?

Allmen n'insista pas.

— Il y a des morts pires que celle-là, préféra-t-il suggérer.

— Pour M. Frey, n'importe quelle mort était horrible. M. Frey ne voulait pas mourir. Il n'arrêtait pas de me le dire.

— Vous le connaissiez bien ?

— En huit ans, forcément, on noue des relations. Il faut dire qu'il n'avait personne.

— Si, son petit-neveu.

— Ah, celui-là. Ça ne fait pas longtemps qu'il est apparu.

— Je croyais qu'il avait logé à l'hôtel jusqu'à une date récente.

— Quelques jours seulement. Avant, il venait en visite de temps en temps. Mais toutes les années précédentes, M. Frey n'a jamais eu de visites. Et il ne sortait jamais. Alors qu'il avait passé sa vie à voyager. Il me racontait des histoires du monde entier. Vous savez, les nonagénaires et les portiers de nuit ont un point en commun · les nuits blanches.

Revenu dans sa chambre, Allmen appela chez lui. María Moreno décrocha et lui passa Carlos. La voix de celui-ci n'était pas comme d'habitude, elle paraissait embarrassée ou nerveuse.

— Tout va bien ? se renseigna Allmen.

— *Todo bien*, lui garantit Carlos.

— *Fíjese*, vous vous rendez compte, un vieil homme est mort pendant le dîner. À quelques tables seulement de la mienne.

— *Lo siento*, répondit Carlos. Pas très agréable quand on est en train de manger.

— J'avais déjà mangé.

— N'empêche.

— On ne l'a pas remarqué. Il mangeait, et tout d'un coup il était mort. Très discrètement. Un client à demeure.

Une minute de silence pour le vieux monsieur.

— Ce qui était étrange, c'est que Mme Gutbauer est venue lui rendre un dernier hommage.

Allmen raconta la scène singulière à laquelle s'était livrée la vieille dame.

— Et il y a encore autre chose de remarquable. L'un

des huit clients qui ont quitté l'établissement entre le 4 et le 7 avril est son petit-neveu. Claude Tenz. Arrivé le 4, reparti le 5.

— *Interesante*.

Carlos avait toujours une voix étrange.

— Mis à part Tenz, deux autres clients sont arrivés après le 4 avril. Un certain Jeremy Brown, de Birmingham, et un dénommé Daisuke Moriwaki, d'Osaka. Tous deux sont repartis dès le lendemain... Carlos ? Vous êtes toujours là ?

— *Sí*, Don John, *estoy pensando*.

— Et vous réfléchissez à quoi ?

— Il y a beaucoup de suspects.

Allmen prit la liste et fit le compte :

— Vingt-six employés de l'hôtel, sept fournisseurs, neuf employés du quatrième plus trois fournisseurs du même étage. Plus huit clients, peut-être encore plus si nous ajoutons les clients à demeure et ceux qui sont arrivés après le 4 avril. Au total, ça fait au moins... cinquante-trois. Cinquante-trois. Carlos ! Par où commencer ?

— *Con las relaciones*, Don John. Quels liens existaient entre les trente-trois de l'hôtel et les douze du quatrième étage ?

Allmen soupira.

— Je n'en viendrai pas à bout.

— *Con todo el respeto*, Don John, non, vous n'en viendrez pas à bout.

— Et alors ? Qu'est-ce que vous proposez ?

— Vous vous chargez des clients. Et nous, du reste.

— Nous ?

14

L'uniforme était déjà un peu usé, mais adapté à la situation : jupe noire et tablier blanc, corsage noir à col blanc et revers blancs aux manches courtes. Pas de coiffe.

María Moreno se tenait devant le miroir, dans le vestiaire du personnel. À côté d'elle, Pita Costa, la collègue originaire de l'Équateur qui devait l'introduire dans les lieux.

Pita avait la trentaine, elle était petite et ronde et d'une chaleur humaine stupéfiante. C'était l'unique femme de chambre sud-américaine de l'hôtel et le bonheur que lui inspirait le fait d'avoir désormais une collègue en provenance d'un pays voisin la faisait déborder de bonheur. Dès le premier instant, elle appela María Moreno *vecina*, voisine.

María était certaine que cette femme lui apprendrait tout ce qu'elle voudrait savoir. Et tout le reste aussi.

Pita ne prenait jamais le temps de souffler. Elle parlait et respirait en même temps. Quand elle ne trouvait rien de nouveau à dire après avoir éclusé un sujet – ce qui n'arrivait pas souvent –, elle répétait simplement ce qu'elle avait dit. Mot pour mot, si cela était encore assez frais dans sa mémoire.

Pour l'heure, elle parlait de l'uniforme.

— Pour moi, une casaque ou une tunique, ça serait mieux, tu sais, comme à l'hôpital, avec des pantalons, pour mes jambes, mais quand on a une silhouette comme la tienne évidemment c'est plus joli, je la… (Elle saisit des deux mains l'ourlet de la jupe de María et le replia une fois sur lui-même) … Je la porterais plus court, regarde, comme ça, trois doigts au-dessus du genou, si j'avais tes jambes…

Pita la devança dans le couloir et conduisit María dans la pièce de service. Il n'y avait pas de fenêtre, cela sentait l'air vicié et les détergents. Des placards intégrés étaient fixés à tous les murs. Au milieu de la salle stationnaient chariots de nettoyage et aspirateurs.

Pita ouvrit un placard plein de boîtes de mouchoirs, de savons, de shampoings, de lotions corporelles et autres cosmétiques. Elle se mit à en charger une réserve sur le chariot sans interrompre son flux oratoire. Puis elle désigna l'aspirateur et ouvrit la porte.

— *¡Vámonos, vecina!*

María s'empara de l'aspirateur et le tira derrière elle.

L'ascenseur du personnel avait un sol en bois et des parois de métal sans garniture. Il monta lentement et en vacillant jusqu'au troisième étage. María l'imagina pendant au bout d'un unique câble, tiré par des rouages usés et à peine maintenu par des rails de guidage branlants. Elle fut heureuse lorsqu'elles en sortirent. María Moreno haïssait les ascenseurs.

Pita regarda une feuille de papier. Elle était pincée à une planche fixée au chariot et contenait un tableau des chambres.

— Nous commençons par la 309, les 307 et 308 sont vides, annonça-t-elle.

Mais le panonceau « Ne pas déranger » était accroché à la poignée de porte de la 309. Pita leva les yeux au ciel.

— Ils sont partis prendre leur petit déjeuner et ne veulent pas nous trouver à l'intérieur quand ils reviendront.

Elles continuèrent jusqu'à la 310. Pita frappa.

— *Housekeeping!*

Pas de réponse. Elle prit son passe dans son tablier et ouvrit.

— Chambre non fumeur, dit-elle d'un ton méprisant, en reniflant.

La pièce empestait le tabac froid. Sur le lit défait étaient étalés des vêtements, des serviettes éponge humides et un journal. Une valise à roulettes était posée, ouverte, sur un support pliant. Sur le dessus, deux chemises propres drapées de slips et de chaussettes usagés. Sur la table de maquillage, un ordinateur portable, à côté un verre à dents plein de cendre et de mégots, deux minibouteilles de whisky vides et un emballage de cacahuètes, consommées elles aussi.

Pita ouvrit les deux fenêtres et passa à la salle de bains. Celle-ci offrait un tableau analogue : des serviettes éponge par terre, une grande flaque à côté de la baignoire, deux cigarettes dans le porte-savon. Elle alla aux toilettes et actionna la chasse d'eau.

— *Cerdo*, murmura-t-elle : espèce de porc.

María ouvrit la fenêtre.

— *Gracias*, dit Pita.

Puis elle lui tendit une paire de gants en latex et en passa une aussi. Elle désigna la baignoire.

— On commence par faire descendre les cheveux avec la douche, ensuite on prend ça.

Elle lui fit passer du détergent. Puis elle s'agenouilla devant la cuvette des toilettes et commença à la nettoyer.

— Jamais encore fait le ménage dans un hôtel, *vecina* ?

— Le ménage, oui, dans un hôtel, non, jamais.

— Chez un particulier, c'est pas aussi moche.

— Autrefois j'ai travaillé pour un Russe. Il était encore pire que celui-là, raconta María.

Elles se mirent toutes les deux à frotter.

— Parfois on les enverrait volontiers au diable, dit Pita.

— Le Russe y est déjà.

— Mort ?

— Assassiné.

— *¡ Madre mía del Cielo!*

— Et il me doit encore mon salaire.

— *Son los peores* – ce sont les pires.

María avait terminé avec la baignoire et voulut s'attaquer au lavabo.

— Rends-moi un service, *vecina :* en sortant, tu verras deux portes un peu en biais, de l'autre côté. Derrière celle de droite, il y a la buanderie. Tu vas y trouver des draps et des taies. Il va falloir refaire le lit de ce pourceau.

Il y avait effectivement deux portes. L'une portait un panonceau «privé», l'autre n'en avait aucun. María choisit celle où rien n'était écrit et entra dans une pièce qui sentait le linge frais. Les placards contenaient des piles de draps, classés selon des catégories signalées par de petits écriteaux jaunis. Elle prit un «drap de dessous double» et un «drap de dessus double», deux «taies d'oreiller grand modèle», deux «taies d'oreiller petit modèle» et un «couvre-lit double», puis quitta la salle.

Lorsqu'elle ferma la porte, son regard tomba de nouveau sur l'écriteau «privé» de la porte voisine. Elle l'ouvrit et vit un petit couloir et un escalier. María vérifia qu'elle était seule et monta les quelques marches jusqu'au premier palier. L'escalier poursuivait sa course en partant à angle droit. Elle monta encore quelques marches avant de voir la fin de l'escalier, où se trouvait un petit vestibule donnant sur une porte étrange. Celle-ci n'avait pas les décorations et les poignées de porte tortillées des autres portes de l'établissement. Elle était en acier, pourvue d'un œil-de-bœuf et munie d'un pommeau de fer fixe en guise de poignée. On aurait dit l'entrée d'une salle des coffres.

Elle revint sur ses pas et redescendit l'escalier. Pita vint à sa rencontre dans le petit couloir.

— ¿Pero qué estás haciendo?

— Trompée de porte, répondit María.

Pita jeta un coup d'œil sur les draps que portait María.

— Tu n'as pas le droit de monter là.

— Qu'est-ce qu'il y a là-bas?

— Le quatrième étage. Il ne fait pas partie de l'hôtel.

— Et qui habite là?

— La dueña, la propriétaire.

Il leur fallut trente bonnes minutes pour faire la 310, deux fois plus que pour une chambre correcte, comme disait Pita.

En entrant dans la 303, Pita se signa.

— ¿Qué pasa?

— La chambre d'un mort, expliqua Pitta, avant de raconter le décès soudain de Don Hardy.

— Una muerte discreta, dit María.

Elles se trouvaient dans un séjour aménagé de bric et de broc avec du mobilier de l'hôtel et des meubles dont on voyait qu'ils avaient accompagné leur propriétaire pendant toute une vie animée. On y trouvait une commode noire ornée de ferrures en laiton, une table basse marocaine peinte, un bureau anglais massif en acajou et un paravent chinois en soie fine et fragile.

Tous les supports étaient couverts de bibelots du monde entier et aux murs étaient accrochées des photos qui montraient feu l'habitant de la chambre en jeune homme, en homme dans la force de l'âge, en homme vieillissant puis en vieil homme. En voyage, à des fêtes et avec des accompagnatrices variées. Dans ses meilleures années, il avait été un bel homme élégant.

Il flottait une étrange odeur, comme dans une maison abandonnée depuis longtemps.

Une porte donnait sur une salle de bains inutilisée, une autre sur la chambre 302. Tout était plongé dans le noir, mais une bande de lumière tombait sur le lit. Comme si le mort y reposait. L'odeur confinée rappelait ces tas de vêtements en provenance d'Europe que l'on trouvait sur les étalages colombiens et dans lesquels María Moreno fouillait autrefois pour trouver quelque chose de mettable.

Pita alluma la lumière. La tête du lit était relevée, et au pied était installé un gigantesque écran plat. Les sièges, un ensemble identique à celui de la chambre voisine, étaient ici complétés par un pesant divan oriental.

Là aussi on trouvait des photos aux murs, ponctuées de quelques petits formats, huiles, dessins et aquarelles. Au-dessus du lit était accrochée, dans un cadre d'or, la photo d'un vase blanc rempli de fleurs qui se détachait sur un fond sombre.

Pita passa à la salle de bains et alluma la lumière. María la suivit.

Nécessaire de rasage, peigne, brosses à cheveux et à dents, dentifrice, tout était là, comme si le client pouvait revenir du petit déjeuner d'un moment à l'autre. Le petit meuble placé à côté du lavabo était couvert de boîtes de cachets, d'onguents et de teintures. À un crochet, contre la porte, était suspendu non pas le peignoir blanc de l'hôtel, mais un peignoir personnel à rayures bordeaux et bleu. Il flottait une odeur de savon insistant et démodé, avec une forte note de camphre.

Tout était propre et bien rangé.

Pita éteignit la lumière de la salle de bains et celle de la chambre à coucher.

— *Sólo controlando*, expliqua-t-elle : juste pour contrôler.

Avant de quitter le salon, Pita se retourna encore une fois.

— *Da miedo, ¿no?* dit-elle avant d'éteindre la lumière ici aussi et de fermer la porte.

Pita passa devant avec le chariot, María la suivit avec l'aspirateur.

La porte de la suite 312 s'ouvrit, laissant sortir un monsieur qui portait bien son costume en flanelle gris souris.

— Bonjour, fit Pita.

— Bonjour, dit aussi María Moreno.

Elle s'abstint d'ajouter « Señor John ».

15

María avait fière allure avec ses cheveux noirs thé remontés en banane et son uniforme noir aux reflets de satin. Elle se promenait dans le couloir en traînant l'aspirateur dans son sillage comme si elle avait toujours travaillé ici. Elle avait salué Allmen comme si c'était un inconnu, et il avait répondu de la même manière.

La veille, Cheryl Talfeld avait accepté avec un certain déplaisir qu'une collaboratrice d'Allmen International Inquiries rejoigne le personnel de l'hôtel avec le statut d'infiltrée.

— Mme Gutbauer et moi-même étions parties de l'idée de recherches très discrètes, avait-elle objecté. Nous voulions que le secret soit partagé par le plus petit nombre de personnes possible.

Allmen entra dans le hall d'accueil et se dirigea vers le comptoir du concierge. M. Klettmann était au téléphone, mais il raccrocha en voyant venir Allmen.

— Bonjour, monsieur von Allmen. Que puis-je faire pour vous ?

— Cela m'ennuie de vous demander ce service, je sais que cela va à l'encontre de votre devoir de discrétion. Mais pourriez-vous me donner le numéro de téléphone du petit-neveu de M. Frey ? J'ai quelques questions à poser dans le cadre de mes tentatives de clarification.

M. Klettmann releva encore un peu la tête pour pouvoir mieux regarder Allmen dans les yeux.

— Je serais ravi de pouvoir vous venir en aide, l'assura-t-il, mais nous-mêmes ne parvenons pas à le joindre. Nous aimerions bien qu'il nous dise ce que nous devons faire des objets qui se trouvent dans la suite de M. Frey.

— Il ne répond pas ?

— Nous n'avons pas son numéro de téléphone.

Allmen en resta coi.

— Mais dans ce cas, comment avec-vous réussi à le prévenir ce soir-là ?

— Ce n'est pas nous qui l'avons prévenu.

— Et qui alors?

M. Klettmann haussa les épaules et Allmen nota qu'il faudrait charger le *Research Department* d'Allmen International Inquiries d'effectuer des investigations complémentaires. Puis il alla dans la salle du petit déjeuner et se laissa diriger à la table qui était déjà devenue sa place habituelle.

La mère asiatique et sa fille – des Taïwanaises, selon les renseignements fournis par M. Klettmann – étaient elles aussi assises à la table qu'elles occupaient l'avant-dernier soir. Et les vieilles sœurs se trouvaient elles aussi à leur poste. Il les salua d'un hochement de tête. La mince répondit du même geste, l'air indigné, la replète sourit. Cela lui valut, à elle, un commentaire manifestement fielleux de sa sœur, et à lui un deuxième sourire rétif.

Elle s'appelait Mme Gondrand-Strub, sa sœur était Mlle Strub. Elle tenait à son «Mademoiselle», lui avait expliqué Klettmann en lui fournissant quelques informations sur les deux femmes : Allmen avait deviné juste, toutes les deux étaient des clientes à demeure. Depuis bientôt neuf ans, c'est-à-dire depuis plus long-temps que M. Frey. Elles habitaient trois chambres pourvues de portes communicantes au premier étage. Celle du milieu leur faisait office de salon commun, les deux autres de chambre à coucher.

Le concierge avait également confié à Allmen que l'ensemble était financé par Mme Gondrand-Strub. Elle était la veuve de Max Gondrand, un soudeur qui avait fait fortune dans la fabrication de garages en préfabriqué.

Allmen n'aimait pas les petits déjeuners à buffet. Il préférait commander. Ce jour-là, une omelette aux fines herbes : on était samedi. Avec un café crème et un croissant servi avec du beurre et du miel. Lorsqu'il eut mangé ce qu'il avait demandé, il alla tout de même choisir quelques fruits au buffet. Il lui fallait un prétexte pour passer devant la table des deux vieilles dames.

À l'aller, il leur souhaita un bon appétit.

Au retour, il s'arrêta à la table des deux sœurs et dit à Mme Gondrand-Strub :

— Je ne sais pas si vous vous rappelez mon père, mais il a bien connu votre mari.

Elle leva les yeux vers lui, surprise.

— Ah oui ? Comment s'appelle-t-il donc ?

— S'appelait. Mon père est mort depuis dix-sept ans déjà. Il s'appelait Allmen. Jakob Franz von Allmen. Köbi pour les amis.

Il prononça le nom sans appuyer sur le « von », comme le voulait l'étiquette pour les particules de noblesse.

La vieille dame fit un sérieux effort de mémoire.

— Ils étaient en affaires. Mon père était dans l'immobilier, entre autres. Nous étions nous-mêmes propriétaires d'un garage Gondrand sur l'une de nos propriétés. Avec portail automatique. Ça m'a laissé une impression inoubliable. Veuillez m'excuser de vous avoir importunées.

Il fit mine de reprendre son chemin. Mais Mme Gondrand avait mordu à l'hameçon.

— Vous n'aimeriez pas vous asseoir un instant avec nous ? demanda-t-elle en désignant la seule chaise libre qui ne soit pas occupée par des sacs à main.

Allmen s'assit et ignora le bruit à peine étouffé qu'émettait la sœur fluette en se mouchant. Il parla de son père, Mme Gondrand parla de son mari, et Allmen n'aurait pas été étonné que ses histoires à elle aient été tout aussi inventées que les siennes.

Il fallut un bon moment avant qu'Allmen ne finisse par dire :

— Ce pauvre M. Frey, quelle terrible histoire! Vous l'avez bien connu?

Les deux sœurs échangèrent un regard. C'est Mlle Strub qui répondit.

— Nous n'avions pratiquement aucun contact.

Elle prononça ces mots comme s'il eût été problématique d'en avoir eu.

— Après toutes ces années communes dans le même hôtel?

— Ce n'étaient pas des années communes, répliqua-t-elle. Les hôtels sont impersonnels. On n'a pas de relations avec les autres clients si l'on ne veut pas en avoir. Et nous ne voulions pas. *C'est tout.*

Ce « *C'est tout* » inattendu et prononcé en français lui donna encore plus l'air d'une gouvernante. Mme Gondrand-Strub jugea que cela méritait une explication :

— Hardy Frey avait, comment dire, une réputation un peu douteuse.

— Un *Glünggi*, intervint sa sœur en suisse allemand.

— Tu exagères, répondit Mme Gondrand avant de reprendre en s'adressant à Allmen. Non, pas un bon à rien : un coureur de jupons. Il avait déjà été condamné, il était comme chez lui dans le demi-monde. Il a dû aller s'installer à l'étranger et y a passé la moitié de son existence.

— Et c'est ici qu'il en a vécu l'automne solitaire, ajouta Allmen, songeur. Avec son petit-neveu pour seule compagnie.

Une fois de plus, Mlle Strub accapara la conversation en complétant, vénéneuse :

— Le voleur d'héritage.

— Je ne sais pas. Si c'était le cas, il aurait tout de même fait vider la suite depuis très longtemps, la contredit la veuve de Gondrand.

— Il faut vous dire que ma sœur a des vues sur sa suite, monsieur von Allmen. Elle bout d'impatience en attendant qu'elle se libère.

— Elle est au troisième et donne sur l'arrière, expliqua Mme Gondrand. Et si nous prenons en plus la 302 pour toi, nous aurons la même situation qu'avant. Mais en plus beau, plus grand et plus calme.

— Sauf que c'est la chambre d'un mort.

— La plupart des personnes qui ont logé au Schloss-hotel au cours des cent vingt dernières années ne sont plus de ce monde.

— Sauf qu'elles, nous ne les avons pas connues.

16

Le *Research Department* d'Allmen International Inquiries était installé en combinaison de travail dans sa mansarde, devant l'ordinateur, et menait son enquête. Carlos avait tenté d'ajourner cette mission jusqu'à son après-midi de libre, mais son *patrón* avait tenu à ce qu'il risque une fois de plus son emploi à mi-temps de jardinier et d'homme à tout faire, et toute la sécurité financière qui allait avec, pour sacrifier à son petit boulot de détective occasionnel.

Il avait donc sorti la tondeuse autoportée, avait dessiné deux trouées dans la pelouse puis avait laissé l'engin en place sous les fenêtres des bureaux de K, C, L & D, comme s'il était juste allé chercher quelque chose en vitesse.

Hardy Frey n'avait laissé aucune trace sur Internet. Carlos tomba certes sur quelques individus répondant à ce nom, mais aucune d'entre elles ne pouvait avoir un rapport avec le vieil homme du Schlosshotel.

Tenz, en revanche, était présent sur Internet. On ne trouvait sans doute pas ce nom dans l'annuaire du téléphone et même l'adresse qui se trouvait sur le registre du Schlosshotel n'était pas la bonne. Mais on voyait son patronyme apparaître en rapport avec plusieurs firmes qui avaient toutes fait faillite, avaient été dissoutes ou liquidées.

Carlos trouva aussi un bref curriculum vitae de Tenz sur le site de l'une de ces entreprises. Elle s'appelait SECURTOTAL S.A. et avait pour raison sociale l'importation, la diffusion, la vente, l'installation et l'entretien de systèmes d'alarme. À la page «direction», il figurait avec photo comme actionnaire principal et DG. Sa biographie faisait état d'une impressionnante carrière de chef d'entreprise et d'investisseur. Carlos ne trouva pas d'adresse pour le contacter, mais il savait au moins, désormais, à quoi ressemblait Tenz.

La recherche d'images sur Internet fut plus productive. Claude Tenz apparaissait sur différentes photos de demi-célébrités, toujours en train de rire, de lever son verre ou de donner l'accolade. Beaucoup d'entre elles le montraient en compagnie d'un certain Tino Rebler.

Rebler était un personnage chatoyant : entrepreneur du bâtiment, négociant immobilier, propriétaire de plusieurs boîtes de nuit, président d'un club de football évoluant en deuxième division. On lui prêtait des relations avec la pègre, mais rien n'avait jamais été prouvé.

Il ne fut pas difficile de trouver un numéro de téléphone de Tino Rebler – mais c'était un numéro professionnel. Il possédait une entreprise, la Rebler+Rebler s.a.

Carlos appela, se présenta par son vrai nom, Carlos de Leon, et demanda, en soignant son allemand d'Amérique centrale, à parler au Señor Rebler.

Pour la standardiste, les appels d'interlocuteurs ayant cet accent n'avaient manifestement rien d'inhabituel. Elle demanda seulement :

— De quoi est-il question ?

— Une affaire privée.

— Un instant.

Rebler prit l'appareil un instant après.

— Oui ?

— *Buenos días*, je suis une relation de Claude Tenz.

— Tiens donc, Claude. Comment va-t-il ?

À sa voix, Rebler était de bonne humeur.

— Justement, je n'en sais rien. Je suis de passage et je voulais lui dire bonjour. Mais apparemment il a déménagé. Avez-vous sa nouvelle adresse ?

La voix se fit aussitôt plus froide.

— Je suis navré, je ne peux rien faire pour vous, dit Rebler avant de raccrocher.

Carlos revint à sa tondeuse, s'installa au volant et reprit son travail. Le vent soufflait du nord. Quand il traçait une voie vers le sud dans la pelouse, l'odeur du gazon coupé et des gaz d'échappement lui restait dans les narines. Il roulait donc un peu plus vite dans cette direction-là. Quant il allait vers le nord, il réduisait la vitesse et réfléchissait.

En général, sa fierté ne tolérait pas qu'il ne vienne pas à bout d'une mission fixée par son *patrón*. Mais dans le cas de Tenz, il en perdait son latin. La seule piste utilisable passait par Rebler. Et avec celui-là, il semblait avoir atteint ses limites. Dans ces milieux, un Guatémaltèque sans papiers ne pouvait rien faire. Tino Rebler était un cas pour Don John.

Carlos coupa le moteur, sortit la clef de contact et revint à la maison de jardinier. Il appela Allmen sur son portable et lui fit son rapport de vive voix. Puis il retourna à sa tondeuse.

17

Allmen reçut l'appel de Carlos au mauvais moment. Il se tenait un peu désemparé dans le salon défraîchi de sa suite, devant les listes comportant les noms des clients qu'il devait contacter et interroger. Il ne savait ni par où commencer ni comment procéder. Et même s'il l'avait su, ce travail lui déplaisait.

En règle générale, ce genre de vérifications et les interrogatoires ratissant large étaient des missions qu'un homme dans sa position déléguait. La fondation d'Allmen International Inquiries n'avait pas été le fruit d'un désir de travail, mais d'un désir de revenus.

Après le petit déjeuner avec les deux sœurs dissemblables, il avait passé un certain temps avec la troisième cliente à demeure, l'étrange Teresa Cutress.

Teresa Cutress vivait depuis quatre ans au Schlosshotel. Elle détenait la nationalité suisse mais avait passé la majeure partie de son existence aux États-Unis. Elle se faisait servir tous ses repas dans sa suite du deuxième étage et on ne la voyait jamais dans les espaces communs de l'hôtel.

Tout cela ne constituait pas pour autant un indice du fait que Teresa Cutress pourrait appartenir au cercle des suspects. Mais Allmen demanda tout de même, pour la bonne forme, si l'on pourrait arranger ur rendez-vous. Pour la bonne forme et par curiosité. Cette femme avait quelque chose de mystérieux et Allmen aimait les mystères.

Normalement, lui avait expliqué le concierge, Teresa Cutress ne recevait personne. Mais il avait ajouté :

— Sauf si les visites viennent de tout en haut.

Allmen s'était assuré qu'il avait bien compris :

— Du quatrième ?

— Au moins, avait répondu Klettmann avec un rictus.

Allmen avait appelé Cheryl Talfeld et celle-ci lui avait proposé un rendez-vous une heure plus tard. Il s'était retiré dans sa suite et avait commandé une bouteille de champagne. Non parce qu'il voulait la boire entière, simplement parce qu'il méprisait les minibars et ne voulait pas déranger le *room service* pour une seule flûte. Une bouteille lui paraissait en revanche constituer un volume suffisant. Et personne ne l'obligeait à la finir.

Lorsque Carlos l'appela, il en était tout de même au troisième verre.

Ce que le *Research Department* avait à lui annoncer n'était pas fait pour arranger son humeur. Carlos n'avait rien déniché sur Hardy Frey et son petit-neveu était introuvable.

Il raccrocha et réfléchit.

Il y avait au moins la piste « Tino Rebler ». Le nom

lui disait quelque chose, il avait même rencontré cet homme dans le passé. Il ne savait plus où. À une occasion quelconque. Peut-être même chez lui, du temps où Allmen donnait encore des réceptions et des fêtes à la villa Schwarzacker. Rebler n'avait certes déjà pas une bonne réputation à cette époque, mais on ne pouvait pas toujours choisir les accompagnateurs de ses invités. Il était bien possible qu'il soit venu une fois dans la villa Schwarzacker. Et plus vraisemblable encore qu'Allmen l'ait rencontré, Dieu savait où, lors d'un autre événement mondain.

Mais tout cela était beaucoup trop vague pour fournir un prétexte pour tenter d'entrer en contact avec Rebler. Il lui fallait un lien plus direct. Et surtout plus récent.

Allmen plongea les lèvres dans sa coupe en regardant fixement le plafond. Une épaisse couche de poussière et de nicotine s'était fixée au stuc et faisait ressortir les reliefs, les profils et les frises plus nettement qu'il n'eût convenu à l'art du stucateur.

Il ferma les yeux et tenta de se rappeler les acteurs de l'époque. Les notables et demi-notables, les gens qu'il côtoyait et ceux qui s'en donnaient l'air, les VIP et les suivistes, la haute volée et les parvenus.

Remo di Gioya ! Le visage flasque de ce coureur de parties un peu demi-soie mais amusant s'était mêlé à l'assemblée.

Allmen ouvrit les yeux. Si quelqu'un pouvait l'introduire auprès de Rebler, c'était bien Remo. Il était l'un des rares de cette époque avec lesquels Allmen ait conservé un contact régulier. Peut-être parce qu'il se trouvait dans une situation semblable à celle d'Allmen : plus d'exigences que de moyens.

Il attrapa son portable et composa le numéro de Remo. Lequel avait manifestement lui aussi enregistré celui d'Allmen et décrocha en le saluant :

— John, comment vas-tu ?

— Eh bien, aussi mal que toi, je suppose.

Ils papotèrent un petit moment sur le même ton jusqu'à ce qu'Allmen en vienne au fait.

— Tino Rebler ? répondit di Gioya. Tu le rencontreras certainement à l'inauguration du Snow White. C'est l'actionnaire majoritaire.

— Elle a lieu quand ?

— Demain.

— Tu y vas ?

— Je n'en avais pas l'intention.

— Maintenant, tu l'as. Je passe te prendre. À quelle heure ?

Il fallut un moment avant que di Gioya ne retrouve l'invitation.

— Je lis : « À partir de vingt-deux heures. » Viens me chercher vers onze heures.

Ils se dirent au revoir et Allmen se dirigea vers la suite 212, juste en dessous de la sienne.

— *Come in !* cria une voie aiguë.

Allmen entra dans la suite. Les rideaux étaient tirés et les lampes de table disposées de telle sorte qu'elles projetaient une lumière douce sur la femme assise dans le fauteuil central d'un assortiment de trois sièges. Elle désigna une chaise Louis-Philippe qui se trouvait contre le mur et dit :

— Allez la chercher et asseyez-vous.

L'air sentait le parfum et les cigarettes.

Allmen obéit. La voix de la femme n'était pas la seule à être enfantine : ses traits aussi étaient ceux d'une petite fille. Mais en moins vivace. Et ses mains avaient cinquante années de plus que le visage qu'elle tourna alors dans sa direction. Impatiente, encourageante ou critique ? Il lui était difficile de lire quoi que ce soit sur ces traits dépourvus d'expression.

— Je vous remercie de me recevoir. Je m'appelle Allmen. Johann Friedrich von Allmen. J'effectue, à la demande d'une compagnie d'assurances, une analyse de la sécurité de l'hôtel, et dans ce genre de cas l'opinion des clients à demeure est bien sûr particulièrement intéressante.

Il lui tendit l'une de ses cartes imprimées sans le slogan « *The Art of Tracing Art* », mais elle la repoussa d'un mouvement désinvolte de la main.

— Ils sont de moins en moins nombreux, les clients à demeure, remarqua-t-elle sans l'ombre d'un sourire.

Teresa Cutress parlait le suisse allemand avec un accent américain.

— Vous connaissiez bien M. Frey ? demanda-t-il avec empathie.

— Oh… Quand est-ce qu'on connaît un être humain ? Et quand est-ce qu'on le connaît bien ?

— Mais vous le connaissiez, constata-t-il.

— Je ne sais pas. Cela a-t-il un rapport avec la sécurité de la maison ?

— Non, ça non. C'était juste une question. Vous n'avez naturellement pas à y répondre.

— N'importe quel décès vous touche quand il se produit près de vous, n'est-ce pas ? Vous étiez là, vous aussi, quand ça s'est passé ?

— Pour ainsi dire à la table d'à côté.

— Tiens, vous l'avez donc vu ?

— Non. Personne ne l'a vu. Seulement après. Quand il n'a plus eu de réaction.

— Il est mort aussi discrètement? Ça n'était pas son genre.

— Vous ne le connaissiez donc tout de même pas si mal.

Teresa Cutress désigna le plafond.

— C'est là-haut qu'on le connaissait le mieux.

Elle ouvrit une boîte en argent et alla y pêcher une cigarette. Allmen se leva, se rapprocha d'elle et lui donna du feu. Elle désigna le fauteuil qui se trouvait près d'elle.

— Asseyez-vous ici. Je vous entendrai mieux.

Allmen s'installa et reprit la piste tant qu'elle était encore fraîche.

— Quelles étaient les relations de Mme Gutbauer et de M. Frey?

Elle tira une profonde bouffée de sa Kent et laissa la vieille main qui tenait sa cigarette en suspens sous son jeune visage. Elle tremblait, presque imperceptiblement. Son vernis à ongles était, comme celui de Dalia Gutbauer, parfaitement assorti à son rouge à lèvres.

— Celles d'un homme et d'une femme.

En voyant la surprise d'Allmen, elle ajouta :

— Autrefois.

— Quand?

— Oh, ça n'a presque plus de sens.

— Dans les années soixante? devina-t-il.

— Posez-lui directement la question. À moins que ce ne soit important pour la sécurité de l'hôtel?

Il crut pour la première fois déceler l'ombre d'un sourire.

— Non, bien sûr que non. Ma curiosité est de nature purement romantique.

— Tiens donc, vous êtes un romantique

— Ne le sommes-nous pas tous?

— Vous savez, quand on a vécu tant d'années…

— Elles ne doivent pas être si nombreuses que cela, répliqua Allmen, enjôleur, en se trouvant un peu toc.

— Je parle de Dalia, le corrigea-t-elle. Elle aura bientôt cent ans.

— Bien entendu. Elle aussi, vous la connaissez depuis longtemps?

— Nous nous sommes rencontrées… répondit-elle vaguement. Voulez-vous à présent poser vos questions sur la sécurité?

Allmen sortit le questionnaire qu'il avait préparé avec Carlos :

— Vous est-il arrivé que l'un de vos biens disparaisse depuis que vous logez ici?

— Non. Pas à moi.

Il leva les yeux :

— Mais à quelqu'un d'autre?

— On l'entend dire.

— À qui? Quoi?

Elle désigna de nouveau le plafond.

— Mme Gutbauer? Racontez-moi ça.

— Un tableau.

Pour la deuxième fois, elle surprit Allmen.

— Tiens donc. Précieux?

— Dalia est l'une des femmes les plus riches du pays. Elle ne possède pas de tableaux sans valeur.

— C'était quand?

— Récemment. Il y a quelques jours.

Teresa Cutress écrasa sa cigarette.

— Et dire que vous n'en savez rien! Vous, l'expert de la sécurité!

— On a un soupçon?

— On? Aucune idée. Moi, oui.

— Vous en avez informé la police?

— La police n'a pas été prévenue.

— Pourquoi pas?

Une fois de plus, l'index courbe pointa vers le haut.

— Secret.

— Et comment se fait-il que vous soyez au courant?

— Secret.

On frappa à la porte.

— À cette heure-ci, je prends un drink. Vous me tenez compagnie?

— Merci beaucoup. Je ne bois pas d'alcool l'après-midi.

— Sauf du champagne.

C'était la troisième surprise que lui réservait Teresa Cutress. Avant même qu'il n'ait pu répondre, elle ajouta:

— Quand on a vécu une vie comme la mienne, on reconnaît une haleine parfumée au champagne.

18

La journée de travail de María allait de six heures à quatorze heures trente, avec une heure de pause au déjeuner. Elle avait fait ce choix parce qu'il lui permettait de garder sa clientèle de l'après-midi. À quinze heures – seulement soixante minutes plus tard qu'à l'ordinaire –, elle était sur place et accomplissait ses quatre heures de ménage. Ses huit heures supplémentaires n'étaient qu'un emploi à durée déterminée, et les deux cents francs quotidiens qu'elles lui rapportaient représentaient un mois de salaire en Colombie et un supplément bienvenu aux mille francs suisses qu'elle y virait chaque mois.

Mais à présent qu'elle traversait d'un pas ferme le parc plongé dans une quasi-obscurité, elle était affamée et à bout de forces. Son cuisinier préféré, Carlos, lui avait certainement préparé l'un de ses petits dîners guatémaltèques. Comme toujours, il voudrait qu'ils le mangent à l'office, bien que Señor John ne soit pas à la maison.

La petite maison de jardinier était plongée dans la pénombre. María ne vit de lumière que dans la mansarde. Elle entra dans le petit vestibule. Aucune odeur de cuisine dans l'air.

— Carlos? cria-t-elle.

— *¡Aqui!* répondit-il.

Elle monta l'escalier. La porte de la petite chambre sous le toit était ouverte, elle le vit assis à sa table devant l'ordinateur. Le lit était jonché de tirages papier de documents informatiques.

Il leva les yeux un bref instant, écarta les bras pour exprimer son regret et dit :

— *Disculpe*, excuse-moi.

María soupira, lui donna un baiser et regroupa un peu les tirages afin de pouvoir s'allonger sur le lit et mettre les pieds en hauteur.

Presque tous les tirages montraient des photos de mondanités remontant aux années cinquante. Bals, réceptions, garden-parties, premières, courses de chevaux. Sur quasiment chacune d'elles on voyait la même femme, toujours élégante, presque toujours rayonnante. Auprès d'elle, différents hommes, femmes et couples. Carlos les avait marqués au stylo feutre. Sur la femme étaient toujours inscrites les lettres DG, sur les autres des noms changeants.

— ¿ *Quién es ?* demanda María Moreno.

— Mme Gutbauer.

Sur l'une des photos, il avait tracé un cercle autour d'une très jeune fille qui se tenait à côté de Dalia Gutbauer et y avait ajouté un point d'interrogation et un point d'exclamation. La légende de la photo était surlignée : « Mme Dalia Gutbauer avec la débutante Theres Schneydter au bal du zoo. »

Dalia avait passé le bras autour des épaules nues de la jeune femme. Toutes deux souriaient à pleines dents en direction de l'objectif.

— Et elle ? demanda María.

— Le prénom, Theres. Il ressemble à Teresa. L'une des clientes à demeure de l'hôtel s'appelle ainsi. Teresa Cutress.

— Le 212, je sais.

Une autre photo éveilla son intérêt. Elle montrait Dalia Gutbauer au bras d'un homme de belle allure et portant un smoking.

« DG *con* Leo Taubler », avait écrit Carlos.

— *Este señor*, dit María, il ressemble au client mort quand il était jeune.

— Et comment sais-tu quelle tête il avait quand il était jeune ?

— Sa chambre est pleine de photos. On voit cet homme-là sur certaines d'entre elles. Mais je n'en suis pas tout à fait certaine.

— Eh bien emporte-la demain et compare.

Elle poussa sur le côté le reste des documents. Le

mouvement fit émerger la photo en noir et blanc d'une peinture. On y voyait un bouquet de fleurs dans un vase clair.

— Il y a aussi une photo de ça dans la chambre du mort, constata María.

Carlos leva les yeux de son écran pour voir de quoi elle parlait. Il annonça :

— C'est le tableau volé.

19

Il dormait encore profondément quand on toqua à la porte.

Allmen se retourna et grommela quelques mots sur l'absence d'éducation du *housekeeping* de tous les hôtels de ce monde, qui avait la manie de frapper à toutes les portes où n'était pas accroché l'écriteau « Ne pas déranger ».

La veille au soir, il avait encore tenu compagnie à Teresa Cutress devant quelques caipirinhas. Aussi hypertendue qu'elle fût, elle s'était révélée une dame de compagnie très amusante à laquelle chaque nouvelle gorgée donnait un peu plus d'ironie sur elle-même.

Mais on frappa de nouveau. Il alluma la lampe, prit son IWC sur la table de chevet et chercha à régler son regard de telle sorte qu'il puisse lire sur le cadran noir. Sept heures. À peu près, car la montre n'était pas très précise. Il aurait dû l'apporter depuis très longtemps chez un horloger, mais pour Allmen l'aspect d'une montre était bien plus important que sa bonne marche. Et celle-ci était belle. Il l'avait héritée de son père, un homme qui n'avait pas un bon goût permanent. Qu'il ait porté cette belle rwc Ingénieur au cours des deux dernières années de sa vie tenait au fait que c'était son fils qui la lui avait offerte, en la payant de sa poche, pour son soixantième anniversaire.

Ça ne pouvait pas être le *early morning tea* : il l'avait seulement commandé pour huit heures et demie. Allmen éteignit de nouveau la lumière et se tourna sur le flanc. D'après sa longue expérience des hôtels, on allait frapper une troisième fois, une femme de chambre allait s'exclamer hypocritement « Oh, excusez-moi ! » et s'éclipser aussitôt après.

Mais il n'y eut pas de nouveaux coups à la porte. Il entendit le pêne tourner dans la serrure de la porte, puis des pas dans le salon et une voix qui disait :

— *Disculpe*, Señor John.

C'était María Moreno. Il s'assit dans son lit et la vit qui attendait au seuil de la chambre.

— *Disculpe la molesta*, répéta-t-elle, excusez-moi pour le dérangement, mais c'est urgent. Il faut que je vous montre quelque chose.

— Où ?

— Dans la suite du client mort. *¡ Vengase !* avant que Pita ne revienne ! fit-elle, pressante.

Allmen se leva et passa à la salle de bains. Il se lava le visage, se brossa les dents et se peigna. Rien dans ce monde ne pouvait être urgent au point de ne pas lui laisser le temps de faire cela. Surtout quand la soirée de la veille avait fini un peu tard.

Lorsqu'il sortit de la salle de bains, il portait un peignoir de soie et une écharpe nouée dans l'échancrure de son pyjama. María Moreno attendait avec impatience.

Ils traversèrent le couloir et entrèrent dans la suite de Frey. Allmen commença par sentir une odeur qu'il connaissait. Mais laquelle? Le salon trop meublé devait avoir été agréable lorsqu'il était encore habité. Mais à présent on aurait dit un plateau de cinéma juste après le tournage. Les meubles, les tableaux, les bibelots paraissaient froids et sans âme. La lumière du jour, filtrée par une couche de brume d'altitude, éclairait la pièce sans y dessiner d'ombres. Il régnait la même ambiance dans la chambre à coucher. Une pièce à laquelle on avait ravi ses mystères, sobre et banale.

María désigna la photo encadrée au-dessus du lit :

— ¡*Las* Dalias *desaparecidas!* – les *Dahlias* disparus!

Allmen se rapprocha du tableau. C'était la même photographie du tableau, en noir et blanc, que celle qu'avait trouvée Carlos sur Internet.

Il s'assit dans le fauteuil rembourré, juste à côté du lit au pied duquel étaient toujours posés deux vêtements. Un tricot de corps et une chemise rayée avec sa cravate encore nouée et ses boutons de manchette. Qu'est-ce que Hardy Frey avait à voir avec les *Dahlias*?

Mais María Moreno n'en avait pas encore fini.

— *Hay más sorpresas*, dit-elle : il y a d'autres surprises.

Elle lui mit sous le nez le tirage papier de la photo où Dalia Gutbauer et Leo Taubler se trouvaient ensemble.

— Venez, ordonna-t-elle.

Il se leva et la suivit. Dans le salon, elle le conduisit jusqu'à un mur où étaient accrochées des photos. L'une d'elles montrait le même homme. Pas en smoking, mais en costume de ville, appuyé à une voiture de sport, une Wartburg des années cinquante, si Allmen ne se trompait pas.

Cela ne faisait aucun doute : Hardy Frey et Leo Taubler étaient une seule et même personne.

Lorsqu'il quitta le salon, il sentit de nouveau cette odeur.

Il sut soudain laquelle c'était : celle de l'âge.

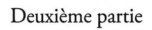

Deuxième partie

1

Moins de trois quarts d'heure après avoir quitté la suite 304, il tournait comme un lion en cage dans sa bibliothèque de verre en attendant Carlos.

Celui-ci travaillait sur la chaufferie dans la cave de la villa. Le brûleur ne démarrait pas, le chauffagiste se faisait attendre et Carlos tentait de réparer lui-même la panne. Au lieu de se soucier de son *patrón* transi de froid.

C'était l'un des moments où Allmen maudissait la pingrerie de son domestique, qui tenait à conserver son revenu garanti d'homme à tout faire et de jardinier.

Il faisait froid dans l'ancienne serre mal isolée. Des nuages de pluie gris-noir avaient dévoré la brume d'altitude gris clair. Il n'aurait pas été surpris qu'il se mette à neiger, par-dessus le marché.

Allmen décida de punir son domestique en s'occupant personnellement de faire du feu. Il ouvrit la porte du poêle suédois, roula quelques journaux en boule, les entassa dans la chambre de combustion et se mit à la recherche de bois.

Il avait déjà souvent vu Carlos faire du feu, mais ne s'était jamais demandé où il allait chercher le bois. Ça n'était pas dans la cuisine. Il ne le trouva pas non plus dans la pièce qui servait de buanderie et de débarras. Il finit par passer son manteau et par sortir. Il trouva effectivement derrière la maison un tas de bois soigneusement empilé auquel il n'avait encore jamais prêté attention jusque-là. Il prit trois bûches et revint avec elles à la maison.

Carlos venait sans doute tout juste d'entrer dans le vestibule. Allmen fut certain de le voir réprimer un rictus lorsqu'il le découvrit vêtu de son manteau en poils de chameau, ses trois rondins sur les bras. Il avança vers lui et les lui prit. Ses mains étaient couvertes de suie et il empestait le fuel.

Carlos passa à la bibliothèque ; Allmen le suivit sans ôter son manteau et le vit retirer les journaux du poêle, sortir du petit bois d'une boîte en fer, l'empiler et y mettre le feu avec une seule allumette, le tout en une minute tout au plus. Il demanda qu'on veuille bien l'excuser et revint dix minutes plus tard, propre, en pantalon noir et chemise blanche, avec une veste de serveur et une cravate noire.

— *¿En qué le puedo servir, Don John?* demanda-t-il : en quoi puis-je vous être utile ?

— *Siéntese usted*, dit Allmen.

Carlos s'installa dans le deuxième fauteuil de lecture et attendit.

— Hardy Frey, c'est Leo Taubler ! lâcha soudain Allmen.

— *¡No me diga!*

Il lui tendit la photo de Dalia Gutbauer et Leo Taubler prise dans les années cinquante.

— María avait raison. Comme sur les photos-souvenirs de Hardy Frey – le même homme. Que savez-vous de lui ?

— *Mucho*, répondit Carlos.

Il pria de nouveau qu'Allmen l'excuse, monta l'escalier et revint avec la petite serviette contenant le résultat de ses recherches sur Internet. Il tendit une photo à Allmen.

On y voyait deux hommes à la terrasse d'un hôtel, devant des palmiers en pot, tous deux de belle allure et vêtus avec élégance, l'un guindé, l'autre sport, chemise ouverte et pochette de soie. Aucun doute : celui à la pochette était Leo Taubler.

On lisait sur la légende de l'illustration : « Kurt Bergler, *alias* l'Arsène Lupin des banques, ici avec son ami Leo Taubler, dont on a vainement cherché à démontrer la complicité active ou passive. »

L'image provenait d'une série d'articles consacrés à des attaques de banque spectaculaires que Carlos avait retrouvée dans des archives de presse, après avoir lancé une recherche sur « Leo Taubler ».

Bergler était un braqueur auxquelles ses manières exquises avaient valu ce surnom d'« Arsène Lupin des banques ». Il avait sévi pendant six ans dans différentes grandes villes du pays, en employant toujours la même méthode : il entrait dans les agences bancaires aux heures de grande affluence, vêtu avec élégance, le visage non masqué, demandait à ce qu'on lui fasse le change sur un gros billet et posait discrètement un SIG P210 sur le guichet. Il menaçait les guichetiers d'une voix courtoise, mais ferme, de les abattre sans hésiter s'ils ne lui remettaient pas discrètement une somme située entre cent mille et deux cent mille francs suisses.

Il quittait la banque avec l'argent, sans hâte particulière, se mêlait aux passants et s'éclipsait peu après.

Probablement dans la voiture d'un complice, mais aucun témoignage fiable ne permettait de l'affirmer.

À la fin des années cinquante, l'amour de Kurt Bergler pour les vestiaires soignés fit son malheur. Un guichetier attentif put capter, d'un coup d'œil, l'étiquette de son tailleur sur la doublure, au moment où Bergler ouvrait brièvement sa veste pour prendre l'arme dans son étui. Il fut facile, ensuite, de mettre la main sur l'«Arsène Lupin des banques». Condamné à douze années de détention, il se suicida moins d'un an plus tard. Leo Taubler disparut avant même la fin du procès, probablement parti à l'étranger.

Allmen posa le rapport et dévisagea Carlos.

— *Las relaciones*, dit-il avec un haussement d'épaules.

— Et quelle est sa relation avec Dalia Gutbauer? demanda Allmen.

Carlos lui tendit la pile de tirages de documents informatiques qu'il lui avait préparés. La majeure partie était composée de photos de Dalia Gutbauer avec Leo Taubler en différentes occasions mondaines. Des textes qu'elles illustraient, il découlait ce qui suit : après une longue série d'accompagnateurs illustres et mondains, on n'a soudain plus vu Dalia Gutbauer qu'avec un certain Leo Taubler.

Pour la presse people, la liaison de leur scandaleuse préférée avec un *nobody* fut une déception.

Cela changea d'un seul coup lorsque l'Arsène Lupin braqueur de banques en série fut démasqué et se révéla être Kurt Bergler. Un ami de l'homme que l'on voyait généralement au côté de Dalia Gutbauer.

Leo Taubler devint encore plus intéressant lorsque les journalistes découvrirent ses antécédents judiciaires. Rien de sérieux, quelques délits financiers, des détournements de fonds, des escroqueries. Mais suffisamment pour qu'on classe la fille du plus grand industriel du pays dans la catégorie des femmes de voyou.

Dalia ne le lâcha pas. Elle parlait publiquement de Taubler comme de son fiancé et continua à se montrer à son bras dans toutes les manifestations importantes de la haute société.

Jusqu'au bal Victoria. Pour ce point culminant de la saison, on la vit en compagnie de Gert von Tyllern, un héritier de métier, issu de l'industrie lourde allemande.

L'intérêt pour Leo Taubler ne tarda pas à s'éteindre. Dalia Gutbauer reprit pendant encore un bon semestre sa vie antérieure avec changements de cavalier. Puis elle disparut totalement.

Allmen quitta les documents des yeux et hocha la tête, l'air reconnaissant.

— *Buen trabajo*, fit-il : bon travail. Et je suppose que le moment où Taubler a disparu coïncide à peu près avec le bal Victoria.

Carlos hocha la tête.

— *Así es*, Don John.

2

Lorsqu'il sortit de l'hôtel, la neige tombait bel et bien. Il avait mangé au grill et passé au bar le temps qui lui restait avant dix heures et demie.

M. Arnold, qui avait attendu derrière le volant de sa Fleetwood, ouvrit la portière arrière lorsqu'il vit apparaître la silhouette d'Allmen devant l'entrée éclairée de l'hôtel.

La neige était lourde et humide, elle ne tenait pas au sol. Le bruit de la circulation du samedi rappelait celui d'une nuit de pluie.

Avec la solennité qui le caractérisait, M. Arnold roula un peu le long du lac, puis se fraya un chemin dans le méli-mélo des rues au pied du *Villenhügel*, la « Colline aux Villas » de Zurich, près de l'une de ces grandes maisons de la fin XIXe dans laquelle Remo di Gioya possédait un somptueux appartement. M. Arnold alla à la porte et sonna, Allmen attendit dans la voiture. Il savait que di Gioya ne lui demanderait pas de monter. Pour une raison analogue à celle qui expliquait qu'Allmen ne proposait pas à ses visiteurs d'entrer chez lui : les plus belles pièces de l'étage où vivait di Gioya étaient occupées par d'autres que lui.

Lorsque Remo s'assit à ses côtés, Allmen sentit qu'il n'était pas le seul à avoir tué avec un peu d'alcool le temps nécessaire pour avoir le retard convenable. Remo avait aussi ce sourire supérieur qui annonçait une humeur imprévisible.

— Je fais ça uniquement pour toi, dit-il. Je ne sors presque plus.

Il souligna son affirmation de l'un de ses mouvements de main désinvoltes qui lui échappaient au fur et à mesure que montait son niveau d'alcoolémie.

Ils roulèrent en silence dans la tempête de neige.

— Rien qu'à imaginer combien de fois nous allons entendre répéter que la neige tombe à pic pour l'inauguration du Snow White Club, j'ai envie de vomir, gémit Reno.

Le club était situé dans l'ancienne zone industrielle de la ville, dans un édifice neuf en verre. Deux vigiles en uniforme noir surveillaient le parking et guidèrent

M. Arnold jusqu'à l'entrée. Allmen donna au chauffeur deux billets de cent puisés dans l'avance sur frais de Mme Gutbauer et lui demanda d'attendre.

Une petite foule s'était agglutinée devant l'entrée, mais l'un des deux portiers de deux mètres de haut connaissait di Gioya et le laissa passer.

Le club était entièrement décoré en blanc neige et offrait un fond à un design lumière qui plongeait tout dans des couleurs changeantes. Y compris les clients, dont la plupart s'étaient présentés tout de blanc vêtus. Remo se fraya un chemin à travers la foule qui dansait, buvait et bavardait, et Allmen lui colla aux talons.

Ils atteignirent un passage auréolé par la lumière d'une arche en néon. Un portier était justement en train de barrer l'accès à deux jeunes femmes ; di Gioya passa nonchalamment devant elle. L'homme de la sécurité leva les yeux, le reconnut et lui fit un geste de la tête. Di Gioya pointa le pouce derrière lui et annonça : « Il est avec moi. » Allmen put ainsi franchir le passage à son tour. Ils entrèrent dans une salle un peu plus calme. Les clients étaient moins serrés, il y avait des tables, des canapés et un bar rond ; ici aussi, tout était en blanc. Ils se trouvaient dans le secteur VIP.

Allmen et di Gioya s'assirent au comptoir et refusèrent les drinks standard – Tiger Milk ou White Lady. Remo commanda un mojito, Allmen resta au bourbon.

Les haut-parleurs diffusaient la même *easy listening music* que dans la première salle, mais plus doucement. Les invités étaient un peu plus âgés et respiraient plus l'argent. Allmen découvrit beaucoup de visages qu'il connaissait. Ou bien d'autrefois, ou bien par la presse people, ou bien des deux. Quelques-uns leur faisaient signe, mais le plus souvent ça n'était pas destiné à lui, mais à di Gioya.

— Parfois je rêve d'être en faillite, comme toi, murmura-t-il. Je serais débarrassé de cette racaille.

— Qu'est-ce qui te fait dire que je suis en faillite?

— Pardon. Je croyais que c'était officiel.

Allmen laissa filer.

Une femme blonde habillée de très peu de blanc se dirigea vers eux; elle prenait une année à chacun de ses pas. Elle s'arrêta devant di Gioya et l'embrassa sur la bouche.

— Ça n'est pas merveilleux, qu'il neige pour l'inauguration du Snow White Club?

Remo di Gioya ne dégobilla pas. Il dit seulement :

— Merveilleux, Sarah.

Elle s'éloigna, mais lui tint la main aussi longtemps que son bras y suffit, comme si elle avait du mal à se séparer de lui.

— Je suis de l'autre côté.

Du menton, elle désigna un petit groupe.

— Je vous rejoins tout de suite, dit-il en souriant.

— Tu viens aussi? demanda-t-il à Allmen. *Best coke in town.*

Allmen refusa de la tête.

— Mais avant que tu ne partes, présente-moi Rebler.

Remo termina son verre.

— Eh bien, arrive, ordonna-t-il en se laissant glisser de son tabouret.

Allmen le suivit.

Assis sur un fauteuil blanc, Tino Rebler portait sur toute cette animation un regard de mécène. Di Gioya le salua d'un :

— Félicitations! Et il neige, par-dessus le marché!

Rebler portait une soixantaine enveloppée. Sa chevelure était blanche, comme tout ce qu'on voyait au Snow White Club. Épaisse et dense, sévèrement peignée vers l'arrière, elle prenait naissance très bas sur le front. Il sourit avec des dents trop parfaites et tendit la main d'abord à Gioya, puis à Allmen.

— Tu te rappelles sûrement, John von Allmen.

Rebler hocha la tête, mais n'eut pas l'air de s'en souvenir. Allmen l'aida à se rafraîchir la mémoire.

— Un ami de Claude. Claude Tenz.

— Bien sûr, Claude. Comment va-t-il? Je n'en ai pas encore vu le bout, aujourd'hui.

— Il se fait un peu plus rare ces jours-ci. Vous avez déjà son nouveau numéro de portable?

Allmen posa sa question sur un ton qui laissait entendre que, dans le cas contraire, lui le lui donnerait, et brandit son téléphone.

— Oui, merci, je l'ai, répondit Rebler.

Allmen regarda l'écran de son portable.

— Mais moi, manifestement, je ne l'ai plus. Parti. L'électronique!

Il chercha le regard de Rebler, mais celui-ci se tourna au même instant vers di Gioya.

— Amusez-vous bien!

Puis, à Allmen :

— Et saluez Claude de ma part. Quand il disparaît, il y a toujours une femme derrière.

Peu après, il perdit di Gioya des yeux. Allmen traîna encore un peu, échangea quelques mots ici et là avec des connaissances, tenta encore deux fois le coup du numéro de téléphone et finit par revenir au comptoir pour prendre un dernier verre.

À peine avait-il le bourbon devant lui que Blanche-

Neige s'assit sur le tabouret voisin. La peau blanche comme un flocon. Le barman lui servit une coupe de champagne sans qu'elle l'ait demandée.

— *Alla salute!*

— *Grazie*, répondit-elle.

Elle prit une gorgée et eut un bâillement fort peu féminin. Elle remarqua qu'il la dévisageait, éclata de rire et porta la main devant sa bouche, l'air embarrassé.

— *Stanca?* demanda-t-il : fatiguée?

— *Stufa*, répondit-elle : ennuyée.

— *Romana?* demanda-t-il.

— Un mot vous a suffi pour savoir que j'étais romaine?

— J'ai fait de longues études à Rome, expliqua-t-il.

Ce n'était qu'à moitié vrai. Mais il y avait tout de même été inscrit à l'université.

Ils passèrent plus d'une demi-heure à discuter de la ville, et si elle avait eu quelques années de plus, cela aurait suffi pour qu'Allmen tombe éperdument amoureux d'elle. Mais elle avait tout au plus vingt ans, il ne s'amouracha donc qu'un petit peu. Ça ne l'empêcha pas d'être déçu lorsque, tout d'un coup, un jeune Italien se dirigea vers elle et annonça :

— *Si parte!* – Nous y allons.

Blanche-Neige glissa du tabouret, lui effleura l'épaule et dit :

— *Ciao!*

— John, compléta-t-il.

Mais elle ne lui donna pas son prénom à elle, se contenta de sourire et partit.

Il la suivit des yeux lorsqu'elle emboîta le pas au jeune homme. Celui-ci n'alla pas vers la sortie mais dans une autre direction, où ils disparurent entre des invités devenus bruyants.

Il était convenu avec di Gioya qu'il lui enverrait un SMS au moment où il voudrait partir. Il écrivit « *Let's go!* » et entendit derrière lui le bip annonçant l'arrivée d'un message. Allmen se retourna. Remo était juste derrière lui. Il portait déjà son manteau et, sur le bras, celui d'Allmen.

Sur le chemin qui les menait à la voiture de M. Arnold, il dut soutenir un peu di Gioya. Il n'y avait plus qu'un portier à l'entrée, quelques taxis attendaient, la neige s'était transformée en pluie. Des phares s'allumèrent sur le parking. Une grosse voiture approcha. C'était la Fleetwood de M. Arnold. Il descendit, scruta Gioya du regard et l'aida à s'installer sur la banquette arrière.

Sur le chemin, Remo dit d'une langue lourde :

— Mignonne, pas vrai, la petite Dalia.

— Tiens, c'est comme ça qu'elle s'appelle, Dalia ?

— Bas les pattes, elle est à Rebler.

— Mais enfin, il a au moins quarante ans de plus qu'elle.

— Et il est toqué comme un collégien. Il a détaché un de ses gorilles pour veiller sur elle. Il la couvre de cadeaux. Récemment, il a voulu lui offrir un Fantin-Latour à prix d'or, un tableau de dahlias, en l'honneur de son prénom.

— Et alors ?

Remo di Gioya gloussa.

— Quelqu'un a surenchéri.

Il n'arrêta plus de glousser, sur tout le trajet et jusqu'à la porte de sa maison.

— Tino Rebler ! Battu aux enchères !

3

L'unique lumière de la pièce était celle du film que le chargé de la maintenance vidéo projetait sur l'écran. Fred Astaire y chantait et y faisait des claquettes dans un pavillon blanc avec Ginger Rogers. Le silence régnait, on n'entendait ni la musique, ni le chant, ni le cliquetis des claquettes.

La pièce était vide à l'exception de deux rangées de sièges de cinéma, des fauteuils en peluche abondamment rembourrés. Dalia Gutbauer était assise au centre du premier rang. Elle portait un grand casque audio et agitait la tête au rythme d'une musique que l'on n'entendait pas. Derrière elle, décalée d'une place, était assise son infirmière. Sans casque, mais avec des lunettes dont la petite lampe projetait un peu de lumière sur le livre qu'elle lisait. Elle avait entendu la porte et se tourna vers les deux importuns.

Allmen avait appelé Cheryl Talfeld dès le matin et insisté pour parler à Mme Gutbauer : c'était, avait-il dit, un élément essentiel pour la réussite de l'enquête.

Ils s'étaient retrouvés au lobby un quart d'heure plus tard. Au lieu de lui tendre la main, elle demanda :

— Qu'avez-vous débusqué ?

— Des informations que Mme Gutbauer m'a tenues secrètes.

— À savoir ?

— Sa véritable relation avec Hardy Frey.

— Mais voyons, ça n'a rien à voir avec le tableau. C'est une relation privée.

— Il y a une photo du tableau accrochée dans la chambre de Frey.

Cette information la laissa un instant bouche bée. Puis elle demanda :

— Et maintenant, que voulez-vous de Mme Gutbauer ?

— Savoir ce qu'elle me cache d'autre.

— Mme Gutbauer est au cinéma et déteste qu'on l'y dérange.

— J'aimerais tout de même essayer.

Au quatrième étage, Cheryl Talfeld l'avait guidé dans le couloir jusqu'à une porte où pendait l'écriteau : «*Movie-session!*» en grandes lettres rouges. Elle l'avait ouverte avec précaution avant de le guider jusqu'au cinéma privé de Dalia Gutbauer.

Mme Talfeld fit signe à l'infirmière d'arrêter le film. Celle-ci marqua un temps d'hésitation avant de prendre une télécommande sur le siège voisin. L'écran s'obscurcit, l'éclairage s'alluma.

— Que se passe-t-il ? s'exclama Mme Gutbauer, effrayée.

L'infirmière désigna les deux visiteurs, d'un geste qui ressemblait à des excuses. La vieille femme indignée se tourna vers eux.

— Mais qu'est-ce qui vous prend, Cheryl ?

— Je vous prie de m'excuser. M. von Allmen dit que c'est très urgent.

Mme Gutbauer le prit en ligne de mire.

— J'espère que c'est aussi urgent que cela doit l'être pour que vous vous permettiez de me déranger ici. Aidez-moi.

Le dernier ordre était adressé à l'infirmière, qui alla chercher le déambulateur et aida sa patiente à se mettre debout.

Mme Gutbauer se mit en mouvement, les deux

femmes se joignirent à elle. Allmen suivit la petite procession. Ils prirent place dans le salon Art déco qu'il avait vu lors du premier entretien. L'infirmière resta debout.

— Bon. Qu'y a-t-il de si urgent, von Allmen ?

Cette marche laborieuse avait mis Dalia Gutbauer un peu hors d'haleine.

— Je dois vous parler de Hardy Frey. *Alias* Leo Taubler.

Dalia Gutbauer lança un regard à son assistante et à son infirmière. Elles se retirèrent et laissèrent leur patronne seule avec son invité.

4

Le jour de Noël 1958, il se mit enfin à neiger. La neige tomba, dense et légère, jusque tard dans la nuit de la Saint-Sylvestre.

Aristote Onassis et Stavros Niarchos donnaient au palace de Saint-Moritz une fête du Nouvel an retentissante pour la jet-set internationale. Ce fut au cours de cette nuit que l'ex-impératrice Soraya tomba amoureuse du prince Raimondo Orsini. Et la fille d'industriel Dalia Gutbauer, du filou qu'était Leo Taubler.

Une épaisse couche de neige s'était déposée sur le village, assourdissant le bruit du feu d'artifice et les exultations de la jeunesse dorée qui se livrait à des batailles de boules de neige en smoking, robe de bal et petit chapeau coloré. Les deux couples passèrent leur première nuit d'amour dans deux suites du même étage.

Dalia avait déjà trente-sept ans à l'époque, son nouvel amant, Leo Taubler, quelques années de moins. Elle était la fille gâtée du légendaire Gustav Gutbauer et avait vécu au cours des quinze années précédentes la vie de la haute-volée internationale. Les pages people et les journaux nationaux avaient régulièrement parlé, non sans fierté, de ses excentricités, de ses tenues et de ses liaisons.

Avec Leo Taubler, pour la première fois, c'était du sérieux. Contrairement à tous ses prédécesseurs. Il ne provenait pas de leurs milieux et – contrairement à d'autres parvenus – ne se donnait pas de mal pour faire comme si.

— Vous ne saviez donc rien de ses affaires louches ? demanda Allmen à ce moment de son récit.

— Oh, vous savez, à l'époque, beaucoup de gens des beaux milieux avaient des affaires beaucoup plus louches que ça. Et je ne suis pas certaine que cela ait beaucoup changé aujourd'hui.

— Il se faisait passer pour quoi ?

— Pour ce qu'il était : Leo Taubler. Ce qu'il faisait n'a jamais été un sujet de discussion entre nous.

— Mais de quoi vivait-il ?

— De moi. Comme beaucoup d'autres avant lui. Il le faisait juste avec plus de naturel. Qu'y avait-il de mal ? J'avais de l'argent autant que j'en voulais, lui n'en avait pas. Mais lui m'a fait découvrir un monde que je ne connaissais pas. Avec des gens normaux, des soucis normaux et des plaisirs normaux.

— Kurt Bergler, l'« Arsène Lupin des banques », faisait-il partie de ces gens normaux ?

— Kurt était un homme très charmant, très élégant.

— Et vous ne saviez rien de son activité ?

— Je vous l'ai dit, nous ne discutions pas de questions professionnelles.

— Et quand vous l'avez appris ?

Elle haussa les épaules.

— Je n'ai jamais eu l'esprit petit-bourgeois… Vous fumez ?

— L'une des rares bêtises que j'aie abandonnées, répondit Allmen, et ce n'était pas la première fois de sa vie qu'il récitait cette réponse-là.

— Dommage. Dans ce cas, regardez voir dans le tiroir de gauche de la commode, là-bas.

Elle désigna un meuble raffiné en laque noire et en chrome. Il trouva dans le tiroir un paquet de cigarettes. Il lui en proposa une et lui donna du feu.

— Je croyais que vous n'aimiez pas que les gens fument, dit-il avec un sourire.

Elle sourit à son tour, pour la première fois.

— Seulement quand ce sont les autres.

Il la regarda tirer sur sa cigarette comme une fumeuse à la chaîne.

— Pourquoi y a-t-il une photo du tableau disparu au-dessus du lit de Hardy Frey ?

Elle serra les paupières pour se protéger de la fumée.

— Quelle est votre hypothèse ?

— C'est lui qui vous a offert l'original.

— Bravo.

— Vous saviez dès le début qu'il avait été volé.

— Je l'avais subodoré. Ça vous choque ?

— Pour être franc : non.

— C'est le bouquet de fleurs le plus coûteux qu'un homme m'ait jamais offert. Des dahlias, j'en ai eu de temps en temps, avec le prénom que je porte. Mais comme ceux-là, jamais.

— Je comprends, dit Allmen, mais pourquoi ne m'en avez-vous rien dit ?

— Il s'agit de savoir où est passé le tableau, pas d'où il vient.

— Les deux sont peut-être liés.

— Vous le croyez?

— Nous sommes en train de clarifier ce point.

— C'est ça, faites-le donc.

Elle écrasa sa cigarette et alla repêcher son alarme au bout de son collier en or.

— Et après? Qu'est-ce qui s'est passé ensuite, entre vous et Leo Taubler?

Il vit sur son visage qu'il ne lui était pas facile de répondre. Mais elle finit par dire :

— Il est parti pour le Brésil; moi, j'ai joué la dame de la bonne société pendant quelques mois encore, puis je l'ai suivi. Nous avons vécu ensemble près de dix ans.

— Où ça?

— Un peu partout.

— Et ça a fini comment?

Dalia appuya sur le bouton.

— Comme finissent toutes ces histoires.

— Mais vous avez tout de même fini par vous retrouver.

Elle le regarda, étonnée.

— Non, répliqua-t-elle. Ce n'est pas le cas.

5

Allmen aurait préféré parler avec Carlos à bâtons rompus, mais celui-ci insista pour le faire pendant une séance de cirage de chaussures. Carlos lui expliqua qu'il réfléchissait mieux comme cela.

Allmen était donc de nouveau assis sur le tabouret de

piano levé au maximum et regardait Carlos d'en haut. Il remarqua pour la première fois que sa chevelure bleu-noir pommadée commençait à se clairsemer un peu à l'arrière de la tête. Juste un petit peu, et seulement sous cet angle et cette lumière. Il espérait que Carlos mettrait encore du temps à le remarquer.

— Carlos ?

— *¿ Que manda*, Don John ?

— Vous m'avez raconté qu'il y a peu, chez Murphy's, un bouquet de dahlias de Fantin-Latour était parti pour plus du double du prix estimé, qui était de six cent mille francs suisses.

— *Así es*, Don John.

— Deux acheteurs anonymes ont fait monter le prix par téléphone à un million deux cent quatre-vingt mille.

— *Exacto.*

— Je sais qui a perdu ce jour-là.

— *No me diga*, Don John.

— Rebler.

Carlos en prit note sans rien dire et réfléchit en brossant la chaussure droite d'Allmen. Celui-ci poursuivit :

— Il a une belle et jeune petite amie. Italienne. Elle s'appelle Dalia.

— *Entiendo.*

— Vous savez à quel montant il a abandonné ?

— À un million deux cent mille, Don John.

— Il comptait donc débourser un million deux cent mille francs suisses juste pour faire un petit plaisir à son amie.

Carlos leva les yeux vers Allmen.

— Vieux hommes et jeunes femmes, Don John.

Allmen sourit.

— Fort heureusement, la différence d'âge entre vous et María n'est pas aussi importante.

— *Diez años son bastante*, Don John : dix années, c'est assez.

Carlos commença le premier polissage avec le long chiffon raide. Une étape au cours de laquelle il ne parlait jamais. Puis il annonça :

— Sur Internet, j'ai trouvé de nombreuses photos de Señor Rebler sur lesquelles on voit aussi Señor Tenz.

— Précisément.

— Et chez son grand-oncle était accrochée une photo du tableau aux dahlias de Mme Gutbauer.

— Il connaissait certainement l'histoire du tableau.

— Et savait où était accroché l'original.

— Les relations, Carlos, *las relaciones*.

Carlos avait étalé sur la chaussure un autre liquide mystérieux et commençait à présent le deuxième lustrage, le polissage final, qui transforma en miroir l'éminence des chaussures Oxford d'Allmen.

Lorsqu'il eut terminé, Allmen remercia et se leva. Carlos commença à ranger son attirail de cireur dans sa caisse noire.

— Il faut que nous trouvions ce Tenz, Carlos.

— Ou la Dalia italienne, Don John.

6

L'escalier et la porte de l'appartement avaient des dimensions si généreuses que des déménageurs n'auraient eu aucun mal à y faire passer des pianos à queue. Allmen entendait des bruits dans l'appartement, mais il sonnait et frappait en vain depuis cinq minutes.

Au moment même où il commençait à rédiger un message, une ombre apparut derrière la vitre en verre poli décorée et l'une des portes s'ouvrit.

Un jeune homme en survêtement se tenait devant lui. Il portait des écouteurs autour du cou, ce qui expliquait sans doute qu'il n'ait rien entendu jusque-là.

— Oui ? dit-il.

— Remo est-il là ?

— S'il y est, il dort.

— Vous pourriez allez voir ?

— Le réveiller ? Je n'ai aucune envie de mourir !

On était en plein après-midi, mais il arrivait aussi à Allmen d'être encore ou de nouveau au lit à cette heure-là.

— Dans ce cas dites-lui simplement qu'il doit m'appeler. Et que c'est urgent.

Il tendit à l'homme une de ses cartes privées, celles où figuraient juste l'adresse et le numéro de téléphone, sans « International Inquiries ».

Mais alors qu'il y écrivait un mot de salutation, il entendit des pas sur le parquet grinçant du large couloir. C'était di Gioya, vêtu d'un kimono de soie. Boursouflé, ébouriffé et pas rasé.

— C'est bon, Max, c'est un ami.

Sur le chemin qui les mena à une chambre située tout au bout du couloir, ils passèrent devant une porte ouverte. Allmen vit un lit défait dans lequel était allongé quelqu'un. Et sentit une odeur de joint.

Remo s'était réservé l'ancien salon. Il donnait sur un jardin d'hiver qu'il utilisait manifestement comme chambre à coucher. La pièce proprement dite était occupée par les antiquités autrefois disséminées dans toute la demeure de maître. Comme dans la petite maison de jardinier d'Allmen, sauf que c'était du Louis XV et non de l'Art déco.

— Maison pleine d'invités, expliqua di Gioya.

— Je connais ça.

Remo débarrassa les tas de vêtements posés sur deux fauteuils en murmurant quelque chose où l'on entendit le mot «personnel». Il proposa l'un des sièges à Allmen.

— Qu'est-ce que tu bois ?

— Rien. Je repars tout de suite.

Di Gioya alla d'un pas traînant dans la véranda et revint avec une bouteille de scotch et un verre usagé. Il se servit, prêt à réagir à une remarque d'Allmen. Mais celui-ci dit :

— Excuse-moi, tu n'étais pas joignable sur ton portable.

— Quand je ne suis pas joignable, ça veut dire que je ne veux pas être joint. Qu'y a-t-il de si urgent ?

— Comment est-ce que je peux entrer en contact avec Dalia ?

Di Gioya afficha un mince sourire et fit de la tête un mouvement réprobateur.

— Ah, bon. Ce genre d'urgence.

Allmen haussa les épaules, désemparé. Que veux-tu que j'y fasse, c'est plus fort que moi.

— Le mieux, c'est encore… (Di Gioya marqua une pause.) … que tu n'entres pas en contact avec elle.

— Allez, vas-y.

— Je suis sérieux. *Hands off.* Rebler est plus dangereux qu'il n'en a l'air. Mieux vaut ne pas toucher à ses affaires.

— Je veux juste lui demander quelque chose.

— C'est bien le problème. Elle pourrait dire oui.

Cette possibilité plaisait à Allmen.

— Ça arrive souvent?

— Jamais. Mais Rebler s'y attend en permanence.

— Tu me donnes le numéro?

— Qu'est-ce qui te fait dire que je l'ai?

— Allons, Remo. Si quelqu'un l'a, c'est bien toi.

— Tu penses que je l'ai parce que je suis homo. Et donc sans danger.

Allmen sourit.

— Mais je te préviens, je suis bi.

— Tiens donc. Tout d'un coup?

— Non, depuis toujours. Mais non pratiquant.

— Félicitations. Tu me donnes le numéro, maintenant?

Remo se mit à fouiller dans le tas de vêtements qu'il venait d'ôter des fauteuils. Il finit par trouver son portable et passa un certain temps à pianoter sur les touches.

— Voilà. Dalia. Elle vaut combien pour toi?

— D'argent, tu veux dire? Tu comptes me vendre le numéro?

— Choqué? fit Remo d'un ton provocateur.

— Non, non, mentit Allmen. Juste surpris.

Il ne l'avait encore jamais fait, mais il était courant, dans sa branche, de rémunérer les informateurs. Il plongea la main dans la petite poche à billets qui se trouvait sur la partie droite de son gilet et sortit une pince enserrant quelques coupures.

— Pas de la poche à pourboires, mon cher, nous n'en sommes pas encore là.

Allmen palpa vainement sa veste.

— Désolé, c'est tout ce que j'ai sur moi.

— Donne ça.

Di Gioya prit les coupures, lui rendit la pince et glissa l'argent dans la manche de son kimono. Il devait y avoir trois ou quatre billets de cent et quelques autres de moindre valeur, Allmen ne savait jamais combien d'argent il portait sur lui.

Di Gioya dicta le numéro à Allmen, qui l'enregistra sur son portable.

— Ça n'est pas moi qui te l'ai donné. (Puis il le regarda, songeur.) Je croyais que tu étais à sec, toi aussi.

— Allons donc. J'ai un peu surinvesti, mais ça s'est tassé.

— Comment ça ? Tu travailles ?

Allmen fit un geste négatif.

— Non, non. Juste une petite activité de conseil.

— Dans quel domaine ?

— Le mien. L'art, ce genre de choses.

— Entre nous : je cherche aussi ce genre de truc. Pas de travail mais une activité rémunérée tout de même.

Allmen se leva.

— Les numéros de portable, peut-être ?

7

On entendait au-dessus de lui le déambulateur de Mme Gutbauer. Toc. Toc. Toc. Toc.

Depuis leur dernière rencontre, elle ne lui sortait plus de la tête. Pendant dix ans, elle avait mené une existence clandestine avec Hardy Frey, puis ils s'étaient séparés. Trente-cinq ans plus tard, il était venu s'installer ici. Mais ils ne s'étaient pas retrouvés, avait-elle dit. Alors quoi ? Pourquoi avait-il vécu ici, jusqu'à sa mort ? Et pourquoi ce tableau avait-il tant de valeur aux yeux de Mme Gutbauer si celui qui l'avait volé pour elle ne représentait plus rien à ses yeux ?

Toc. Toc. Toc. Toc.

Carlos avait eu raison dès le début : l'important, c'était les relations. Celle qui existait entre Dalia Gutbauer et Hardy Frey partait du quatrième étage et descendait dans l'hôtel. Celle entre Hardy Frey et son petit-neveu, Claude Tenz, pourrait de nouveau mener vers le haut de l'hôtel et le quatrième étage. Et le lien entre Claude Tenz et Tino Rebler menait peut-être à l'autre Dalia, la belle Romaine Dalia Fioriti. Et la mystérieuse Teresa Cutress ? Quel était son lien avec tous les autres ? À trois reprises, déjà, il avait composé le numéro de Dalia Fioriti. Il était tombé chaque fois sur le répondeur, mais n'avait pas laissé de message.

Des bruits provenant du couloir l'arrachèrent à ses pensées. Des voix et des chocs sourds. Allmen regarda à l'extérieur. De l'autre côté, la porte de la suite de Hardy Frey était ouverte. Deux chariots à bagages étaient parqués devant. Des grooms en tablier vert portaient une commode chinoise ornée de ferrures en laiton.

Claude Tenz, se dit Allmen. Le petit-neveu a enfin émergé et vient prendre les affaires de Hardy Frey.

Il traversa le couloir et entra. Dans le salon, la femme de chambre équatorienne et María étaient en train d'emballer des bibelots dans du papier journal et de les ranger dans des cartons. Quand il entra dans la pièce, elles levèrent toutes les deux les yeux. María le salua d'un hochement de tête courtois, mais Pita demanda :

— Vous cherchez quelque chose ?

— Je pensais que M. Tenz serait peut-être ici, répondit-il.

Il continua sa progression et entra dans la chambre à coucher. Tout y était encore intact, mais il n'y avait pas trace de Claude Tenz.

Lorsqu'il revint dans le salon, les deux femmes étaient en train de sortir les premiers cartons. Allmen inspecta les lieux.

Il avait face à lui toute la tristesse d'une pièce dont on avait à moitié déménagé le contenu. Des tiroirs ouverts, des portes d'armoire battantes, des tapis roulés et partout du matériau d'emballage, des rouleaux d'adhésif, des cartons, des sacs à linge.

Sur le cintre d'un chariot à bagages étaient accrochés un costume de lin jaune passé, une tenue de safari kaki et un smoking aux gigantesques revers en soie dont l'un était replié à l'envers comme l'aile d'un oiseau blessé. En dessous se trouvaient quelques souliers vernis dont le cuir se fissurait.

Allmen se remémora Hardy Frey. Cela devait faire bien des années que ce vieillard maigre et voûté avait pu remplir ces vêtements-là.

Sur le mur, au-dessus de l'emplacement où l'on voyait les traces de la commode chinoise que l'on venait d'emporter, étaient toujours accrochés les photos encadrées qui rappelaient une vie animée. Sur plusieurs d'entre elles on voyait Frey dans la fleur de l'âge, en compagnie d'une femme séduisante qui rappelait vaguement quelqu'un à Allmen. Une comédienne ou une chanteuse, peut-être, ou une célébrité des années soixante.

Il prit l'une des images accrochées au mur – une petite photo noir et blanc dans un cadre de bois discret –, mit ses lunettes de lecture et examina le cliché.

C'était comme la rencontre avec une inconnue dont on ne parvient pas à savoir, même avec la meilleure volonté, dans quelle catégorie on doit la classer.

Allmen regarda autour de lui. Les femmes étaient

toujours à l'extérieur. Il glissa la photo dans la taille de son pantalon et referma sa veste dessus. Lorsqu'il regarda la porte, il vit María Moreno. Elle avait assisté à son larcin et barré le chemin à sa collègue pour lui donner quelques secondes supplémentaires.

— *Con permiso*, dit l'Équatorienne.

María la laissa passer, rejoignit le mur devant Allmen et se mit à décrocher les photos pour que l'autre ne remarque pas qu'il en manquait une.

Allmen revint dans le salon de sa suite. Au dos du cadre photo était fixé un pied repliable. Allmen posa le cliché sur l'une des commodes de style et l'observa.

Hardy Frey en veste de tweed, pantalon de golf à carreaux, écharpe et casquette. Son accompagnatrice en costume de tweed et col roulé. Elle portait de biais un petit chapeau insolent, et beaucoup de rouge à lèvres. Elle était gracieuse et mesurait une tête de moins que son accompagnateur, bien qu'elle eût mis des souliers à talons hauts.

Qu'est-ce qui lui paraissait familier en elle ? Sans doute avant tout ses yeux.

Son portable sonna. Une voix de femme demanda :

— *Chi è ?* Qui est à l'appareil ?

C'était la voix de Dalia Fioriti.

— Allmen, John von Allmen, nous nous sommes rencontrés à l'inauguration du Snow White.

— Ah oui, comment allez-vous ? Où avez-vous trouvé mon numéro ?

— J'ai dû promettre de ne pas le révéler.

— Alors je sais qui vous l'a donné. Pourquoi m'avez-vous appelée ?

— J'aimerais vous inviter à partager un repas.

Elle ne répondit pas.

— *Pronto ?* Vous êtes encore là ?

— Je ne peux pas aller manger avec vous.

— Pourquoi pas ?

— Vous le savez. Celui qui vous a donné mon numéro vous l'a forcément dit.

— Je ne l'ai pas cru. Vous m'avez fait l'impression d'une femme émancipée.

Le nouveau moment de silence que marqua Dalia Fioriti encouragea Allmen.

— Ça peut aussi être un lunch. Pour se plonger un peu dans les souvenirs de Rome.

— Un drink tout au plus.

— Magnifique. Aujourd'hui ?

— Un *aperitivo*. À six heures. J'ai rendez-vous à sept. Où ça ?

— Au bar du Schlosshotel. Un endroit très discret.

— Je préférerais un endroit indiscret.

— Alors, au Goldenbar. Une personne qui ne veut pas être vue n'y mettra jamais les pieds.

8

Allmen arriva au Goldenbar avec un quart d'heure d'avance. C'était l'heure du passage de relais entre ceux qui y étaient encore et ceux qui y étaient déjà.

Il choisit l'une des petites tables en alcôve et fit signe au barman qui s'apprêtait déjà à lui préparer une margarita.

— Une bouteille de Cristal aujourd'hui, Pedro. J'attends quelqu'un.

À six heures, le pianiste commença précautionneusement à jouer *Where and When*, la chanson préférée d'Allmen, et celui-ci lui fit servir le verre de cuvée maison habituel.

Dalia fit son apparition à six heures dix. Allmen se leva, alla à sa rencontre, lui ôta son manteau et la guida à sa table. Ils attirèrent les regards des habitués. Allmen aurait droit à quelques remarques la prochaine fois.

Dalia faisait encore plus Blanche-Neige qu'à leur première rencontre et l'éclairage du bar doré donnait à sa peau un reflet singulier. Comme prévu, elle commanda du champagne. Pedro apporta un deuxième verre, sortit la bouteille du seau à glace et la servit.

Ils parlèrent de Rome, comme convenu, et Allmen fut tellement charmé qu'il se demanda s'il ne devait pas renoncer à son plan initial pour ne pas ruiner l'ambiance. Mais avant qu'il n'ait pris sa décision, Dalia lui tendit une telle perche vers son sujet qu'il ne put faire autrement. C'est elle qui demanda :

— Que faites-vous dans la vie ?

— De l'art, répondit-il.

— Artiste ? (Elle parut surprise.)

— Non, non. Intermédiaire en art.

— Marchand d'art ?

— Quelque chose comme ça. Je mets en relation des gens et des œuvres d'art. Je les remets en relation.

Elle prit sa coupe sur la table, la porta presque à ses lèvres, l'air songeur, et resta figée dans cette position.

— Des œuvres d'art volées ?

— Disparues. Volatilisées. Égarées. Je résous des énigmes artistiques. Il y a des œuvres dont l'histoire de l'art sait qu'elles ont été créées mais dont elle ignore la localisation actuelle.

À cet instant, elle porta le verre à ses lèvres et but.

— Dites-m'en plus là-dessus.

Maintenant.

Allmen plongea la main dans la poche de son costume et en sortit la photo. Il la déballa de son papier cristal et la lui tendit.

Elle ne parvint pas à dissimuler le fait qu'elle connaissait la peinture. Elle jeta un rapide regard sur le document, puis un long sur Allmen. Comme si elle devait se faire une nouvelle idée de lui.

— C'est l'une des œuvres dont je veux percer le mystère. Les *Dahlias*. Dalia.

Elle haussa les épaules en feignant l'indifférence et but une gorgée.

Allmen remballa la photo.

Une voix dit à côté d'eux :

— *Si parte!*

Allmen leva les yeux. C'était le jeune Italien du Snow White Club. Il tenait le manteau de Dalia des deux mains, prêt à l'aider à le mettre. Il n'accorda pas le moindre regard à Allmen.

Dalia Fioriti leva les yeux vers lui, effrayée.

— *Si parte!* répéta-t-il.

Elle se leva, le laissa l'aider à passer son manteau et dit :

— De toute façon je m'apprêtais à y aller.

Allmen s'était levé, lui aussi. Il voulut lui serrer la main, mais elle se contenta de dire « *Ciao* » et se dirigea vers la sortie. Suivie par son gardien.

Fort heureusement, le Goldenbar s'était un peu rempli et la scène n'avait pas été trop remarquée. Mais elle lui valut tout de même quelques regards moqueurs de la part d'habitués installés au comptoir. Il fit comme s'il ne les voyait pas et appela le serveur pour qu'il lui remplisse son verre.

Il était encore sous le coup du léger choc que l'on ressent toujours lorsqu'un soupçon s'est subitement mué en certitude. Si Dalia Fioriti avait réagi comme cela au tableau, c'est forcément qu'elle le connaissait. Il était très probable que Tino Rebler le lui eût offert en remplacement de celui qui lui avait échappé pendant la vente aux enchères. Mais comment connaissait-il l'existence de ce tableau ? Et qui l'y avait aidé ?

Claude Tenz, bien entendu. Le petit-neveu disparu.

Allmen régla la note. Le Schlosshotel n'était qu'à quelques minutes de marche du Goldenbar et une petite promenade lui ferait du bien.

Le soir était sec et doux. Sur les bancs publics de la promenade du lac des gens qui se languissaient de l'été étaient déjà assis.

Allmen déboutonna son trench-coat et plongea les deux mains dans les poches de son pantalon. Il fut bientôt au petit parc qu'il traverserait pour rejoindre le Schlosshotel.

Tout alla très vite. Quelqu'un l'attrapa par-derrière et lui coinça les deux coudes dans le dos, d'une poigne de fer. Allmen cria, mais le bruit fut étouffé par un poing qui s'enfonça dans son ventre. Pendant qu'il cherchait à reprendre son souffle, deux impacts épouvantables l'atteignirent au visage. L'homme qui se tenait derrière lui le relâcha, Allmen se retrouva au sol.

9

La lumière était allumée dans la bibliothèque en verre de la maison de jardinier, et les sons d'un marimba résonnaient dans le parc obscurci par la nuit. Carlos

avait déplié la planche et repassait les chemises d'Allmen. Assise sur le fauteuil de lecture du *patrón*, María
cousait des boutons de chemise. Le feu du poêle à porte
vitrée n'aurait pas été indispensable par cette tiède journée d'avant printemps, mais il rendait la soirée encore
plus agréable. La tuyère à vapeur du fer à repasser sifflait
de temps en temps, accompagnant les notes mélancoliques du marimba des frères et sœurs Ramirez. Carlos
était heureux comme un époux comblé, il ne manquait
plus que les enfants.

— María ? dit-il.

— *Sí*, répondit-elle en pensant à autre chose.

— *Te quiero mucho.*

À cet instant, elle leva les yeux et sourit.

— Moi aussi.

C'est alors que le téléphone sonna. Carlos décrocha.
À l'autre bout du fil, une femme annonça :

— Huber, hôpital municipal, service des urgences.
Je parle bien à M. de Leon ?

— Il est arrivé quelque chose ? demanda Carlos avec
effroi.

María posa son ouvrage sur le bras du fauteuil et
se rapprocha du téléphone en regardant Carlos d'un
air inquiet.

— M. von Allmen a eu un accident…

— *¡Madre mía!* s'exclama Carlos.

— Rien de grave, le tranquillisa la femme. Il m'a
demandé de vous appeler. Il aimerait que vous lui
envoyiez son chauffeur. Le mieux serait que vous veniez
vous aussi. On lui a donné quelque chose de fort pour
le calmer.

Carlos lui garantit qu'il arrivait immédiatement et
raccrocha.

— *¿ Qué pasó ?* demanda María Moreno.

— Don John *tuvo un accidente*, expliqua-t-il tandis qu'il composait déjà le numéro de M. Arnold.

Il parvint à l'avoir en ligne. Le taxi avait en principe déjà fini sa journée, mais une urgence concernant M. von Allmen, évidemment, c'était autre chose.

— *¿ Grave ?* se renseigna María.

— Ils disent que non. Il peut rentrer chez lui. Il m'a fait demander de lui envoyer son chauffeur.

— Son chauffeur. Il a dit *son chauffeur ?*

Il acquiesça. María sourit.

— Alors c'est qu'il a retrouvé son état normal.

Mais Allmen n'avait pas sa tête habituelle lorsqu'on le conduisit trois quarts d'heure plus tard dans la salle d'attente des urgences. Il ressemblait plutôt à un boxeur qui viendrait de subir une défaite écrasante en catégorie poids lourds. L'œil droit tuméfié, une déchirure recousue par de nombreux points au-dessus du sourcil, un pansement sur la joue gauche, et le bras droit en écharpe.

Allmen, qui tenait tellement d'ordinaire à son allure altière, marchait courbé, à petits pas prudents.

L'infirmier, un géant, confia son patient au petit Carlos qui l'aida à sortir en le soutenant, gauche et embarrassé. Tous deux, serviteur et maître, n'étaient pas habitués à pareille promiscuité.

À peine Allmen eut-il été allongé, avec l'aide de M. Arnold, sur la banquette en cuir rouge de la Cadillac, il s'endormit. Ils revinrent en silence à la villa Schwarzacker. Là-bas aussi, Carlos eut besoin du soutien de M. Arnold. Ils menèrent ensemble Allmen jusqu'à son lit.

Pendant l'absence de Carlos, María Moreno avait évacué de la bibliothèque le fer à repasser et le nécessaire de couture, et laissé le feu s'éteindre. Elle ralluma le chauffage et prépara du thé. Ils comptaient se relayer au chevet du blessé. Carlos prit le premier tour.

Mais il ne fallut pas longtemps avant que Carlos n'entende le pas léger de sa compagne sur l'escalier de bois. María portait sa robe de chambre piquée ; elle s'assit dans le deuxième fauteuil, ôta ses mules argentées, ramena les pieds sur le coussin et joignit les bras autour de ses genoux.

— *Tengo miedo*, dit-elle : j'ai peur.

Carlos la comprenait : lui non plus n'était pas trop dans son assiette. Mais pour ne pas l'inquiéter encore plus, il répondit :

— C'est certainement un hasard. De nos jours, on attaque des gens en pleine rue. Je ne crois pas que cela ait un rapport avec l'affaire.

— On l'a dépouillé ?

— *A saber*, je n'ai pas pu parler avec lui.

— C'est quand-même toi qui l'as conduit jusqu'à son lit. Tu devrais savoir s'il avait encore ses affaires dans ses poches.

— Il y avait tout : porte-monnaie, portefeuille, pince à billets, portable et couteau de poche. Les cinq objets qu'il porte sur lui, ni plus, ni moins.

— Tu vois bien. Je te le dis, ça a un rapport avec les *Dahlias*. Où était-il ce soir ?

Carlos baissa les bras. María était dans le secret pour tout le reste, pourquoi ne serait-elle pas aussi informée de cet épisode ?

— Il voulait rencontrer l'autre Dalia. L'amie de Rebler.

Elle dodelina du chef, l'air réprobateur.

— Je lui ai dit que c'était dangereux. Les hommes vieux avec de jeunes femmes sont toujours dangereux.

— Et qu'est-ce qu'il a dit ?

— Que détective était un métier dangereux.

Elle refit le même geste de la tête.

— C'est détective idiot, le métier dangereux.

— *¡ María, por favor !*

Elle resserra encore un peu plus ses bras sur ses genoux et marmonna :

— C'est pourtant vrai.

Chacun réfléchit de son côté jusqu'à ce que Carlos suggère :

— C'était peut-être de la simple jalousie. Rebler la fait surveiller, et quiconque s'approche trop près d'elle est passé à tabac.

— J'espère que tu as raison.

— *No tenga pena.*

Il alla jusqu'au poêle, rajouta une bûche, se rassit et la regarda. Elle somnolait.

— Va dormir, *mi amor*, dit-il tendrement.

Elle ouvrit les yeux.

— Je ne peux pas dormir.

Carlos leva les yeux vers le toit de verre. Seule la lampe de lecture était allumée sous son abat-jour. La lumière qu'elle projetait dans leur direction se reflétait sur la vitre, mais s'il évitait ce reflet il pouvait voir la demi-lune. Il regarda sa montre. Près de deux heures et demie. Chez lui aussi, au Guatemala, il faisait nuit à présent, et l'on voyait la même lune.

Il avait dû s'assoupir. Don John se tenait à côté de lui, en peignoir, et avait posé la main sur son épaule.

— Don John, *disculpe*, s'exclama-t-il. *¿Todo bien?*

— Non, répondit Allmen. Tout ne va pas bien. J'ai mal partout.

Carlos avait bondi sur ses jambes. Il laissa le fauteuil à son *patrón*. María dormait encore. Ils parlèrent à voix basse pour ne pas la réveiller.

— Ils m'ont donné des analgésiques, mais vous ne pourrez les prendre que dans une heure.

Allmen tendit la main.

— Dans une demi-heure.

Allmen garda la main tendue.

— *Usted manda*, soupira Carlos : c'est vous qui commandez...

Il passa à la cuisine et revint avec un plateau sur lequel se trouvaient un verre d'eau et, sur une petite assiette, un cachet rose foncé.

Carlos baissa les yeux vers Allmen. Il avait bien piètre allure, avec son visage enflé et ses cheveux en bataille, lorsqu'il tenta maladroitement, de la main gauche, d'attraper le cachet et de porter le verre à ses lèvres.

— Don John, dit-il à voix basse, j'ai fait des recherches sur Tino Rebler.

— Et alors?

— Il y a trois ans, un vigile en poste devant l'un de ses clubs a rossé un jeune homme, si violemment qu'il est mort sur le coup.

— J'ai entendu parler de cette histoire.

— Le coupable n'a jamais été arrêté. On dit que Tino Rebler l'a conduit personnellement en voiture à Milan, la nuit même, et lui a payé un vol pour Rio. On n'a rien pu prouver contre lui.

— Merci, Carlos. Je vais me tenir à distance de Rebler et de ses hommes.

Carlos regarda María Moreno qui continuait à dormir.

— S'il n'est pas déjà trop tard.

— Qu'est-ce qui vous fait dire ça?

— Si la Dalia italienne lui a raconté que vous cherchez le tableau, vous êtes en grand danger.

— Je ne pense pas qu'elle le lui dira.

— Quand Rebler verra la photo du tableau, il sera au courant.

— Il ne la verra pas, je n'ai fait que la lui montrer en vitesse avant de la remettre dans ma poche.

La voix de María s'éleva tout d'un coup :

— La photo n'était pas dans vos poches, Señor John.

10

Par les fenêtres décaties, derrière les rideaux fermés, il entendit le bruit de la tondeuse enfler, puis se faire plus discret, se taire, enfler de nouveau, diminuer, se taire. Un serviteur dévoué aurait pris quelques jours de congé jusqu'à ce que son maître eût à peu près recouvré la santé. Carlos l'aurait fait lui aussi, avant sa liaison avec María Moreno. C'est elle qui sapait l'image professionnelle de son amant, et les traditions tellement agréables qui s'y attachaient. Autrefois Allmen s'en amusait; à présent, il lui en voulait.

Carlos vaquait le matin à ses occupations comme si rien ne s'était passé. Il ne rentrait dans la maison du jardinier qu'à l'heure du déjeuner, se changeait, préparait de la nourriture guatémaltèque pour convalescent – maïzena, bouillon de volaille aux pattes, cous et têtes de poulet, café avec trop de miel et autres abominations.

Après le repas, Carlos le rasa – ses côtes en compote continuaient à gêner le bras droit d'Allmen – tout en lui racontant les progrès réalisés par María dans ses recherches.

Il n'y avait cependant pas grand-chose à dire. Tout suivait son cours ordinaire. Claude Tenz ne s'était toujours pas présenté pour venir chercher les affaires de son grand-oncle. L'équipière de María, Pita, était liée d'amitié avec Carmen Alonso, l'une des femmes de chambre du quatrième étage.

— Qu'elle tente de devenir elle aussi son amie, avait conseillé Allmen à Carlos.

— *Qué buena idea* – quelle bonne idée, avait répondu Carlos avec une pointe d'ironie.

Trois jours s'étaient écoulés depuis l'agression et Allmen commençait à se sentir mieux. Bien qu'il ait soupçonné Carlos de lui donner des placebos, de quelconques cachets homéopathiques sans marque que lui procurait María. Son soupçon fut renforcé par la générosité soudaine dont fit preuve Carlos pour les dépenses de médicaments.

Le premier jour, ses douleurs physiques l'avaient totalement accaparé. Le deuxième, les symptômes passèrent un peu au second plan et cédèrent le pas à un sentiment croissant d'humiliation.

C'est seulement après, le troisième jour, que la colère monta. C'était, de loin, sa meilleure sensation depuis l'agression. La haine envers ceux qui l'avaient mis dans cet état, Tino Rebler, Dalia Fioriti, Claude Tenz, Dalia Gutbauer, Cheryl Talfeld et tous ceux qui avaient un rapport, même lointain, avec la situation où il se trouvait, lui donna une énergie qui lui fit lentement oublier les douleurs et les vexations.

Dans la matinée, il se leva et se soumit tout seul à la douloureuse torture de l'habillage. Lorsque Carlos frappa à la porte de sa chambre pour lui déposer son déjeuner, Allmen portait un confortable pantalon de flanelle, une chemise rayée sans cravate et la veste d'intérieur en poil de chameau qu'il revêtait les jours de paresse pour lire et jouer du piano.

— Je mange au salon. Et demain je retourne à l'hôtel, annonça-t-il.

Plus tard, au moment où il passa à table, Carlos lui remit sous forme de tirages papier les découvertes qu'il avait faites à propos de Dalia Gutbauer et de la débutante Theres Schneydter.

— Don John, María dit que cette femme pourrait vous intéresser.

C'était la créature ravissante et maquillée que l'on voyait sur la photo qui se trouvait à présent dans la suite d'Allmen. La femme qui se trouvait à côté de Hardy Frey, avec ce petit chapeau insolent et porté de guingois, cette femme dont Allmen avait eu l'impression de si bien connaître les yeux. Juste avec quelques années de plus.

Les mêmes yeux. Les yeux de Teresa Cutress.

11

— *¡No me digas!* Je n'y crois pas !

María Moreno était suspendue aux lèvres de Carmen, comme si elle n'avait jamais rien entendu de plus intéressant que ces propos concernant son réseau familial.

— Tu as donc une tante de dix ans plus jeune que toi !

— *¡ Fíjate !* Tu imagines ! Parce que le frère de mon grand-père a épousé à soixante ans une fille qui en avait vingt !

Elles étaient allées manger un petit quelque chose dans une baraque à casse-croûte pendant la pause déjeuner et María, en manifestant un intérêt débordant pour chacun de ses propos, avait rapidement gagné la sympathie de la femme de chambre dont l'absence avait coïncidé avec la disparition du tableau dans la chambre de Mme Gutbauer.

— Dix ans de moins ! Une tante !

María Moreno jugea que le moment était venu d'aborder le véritable sujet :

— J'ai entendu dire que ta mère est malade. C'est grave ?

— Oh, ça va. Ça fait longtemps qu'elle est malade. Le diabète.

Pita se mêla à leur conversation.

— Mais ça s'est dégradé. Carmen a dû partir pour Murcia. *¡ De urgencia !*

— Ça n'était pas une urgence, corrigea Carmen.

— Dans ce cas, pourquoi es-tu partie aussi précipitamment ? demanda Pita.

— Si on te proposait d'aller rendre visite à ta mère, toi aussi tu partirais le lendemain matin.

Pita lui donna raison. Et María Moreno posa sa question :

— Qui te l'a proposé ?

— Mme Talfeld.

— Elle?

Pita n'en croyait pas ses oreilles.

— Parfois elle peut être très gentille. Elle m'a demandé des nouvelles de ma mère. La sienne aussi était diabétique. Elle m'a dit qu'on s'y habituait, qu'on ne prenait plus ça au sérieux. Et que, tout d'un coup, on était mort. C'était ce qui était arrivé à sa mère. Et aujourd'hui encore, elle se reproche de ne pas être allée la voir plus souvent.

— Tu lui rends quand même visite à toutes les vacances, objecta Pita.

— C'est ce que je lui ai dit.

— Tu vois bien.

— C'est là qu'elle m'a proposé de raconter à Mme Gutbauer que ma mère était à deux doigts du coma diabétique. Mme Gutbauer saurait ce que cela veut dire : elle aussi avait du diabète.

— *¡No me digas!* s'exclama de nouveau María Moreno.

— Et la Talfeld avait raison. La vieille me l'a ordonné : «Allez la voir!» Alors, évidemment, je suis partie.

— *Claro*, confirmèrent María et Pita.

— Et vous savez quoi? La Talfeld s'est même occupée personnellement de trouver une remplaçante.

— *¡Fíjate!* s'exclamèrent María et Pita.

L'après-midi – tandis qu'elles affrontaient justement le chaos de la chambre 114, à la poignée de laquelle le panonceau «Ne pas déranger» était resté accroché pendant vingt-quatre heures –, María Moreno revint sur le sujet. Elle cria, pour couvrir le hurlement de l'aspirateur :

— Comme on peut se tromper sur les gens !

— Le plus souvent la première impression est la bonne, répondit Pita Costa.

— Mme Talfeld a tout de même l'air glacial. Et puis cette histoire avec Carmen.

Pita ne répondit pas tout de suite. Et soudain, elle se mit à chanter :

— *Eso es el amor. Sí, señor.*

María lui lança :

— Amoureuse. Le feu de l'amour arrive à dégeler un peu même les plus réfrigérées.

María éteignit l'aspirateur.

— Amoureuse ? Cheryl Talfeld est amoureuse ?

Pita hocha la tête d'un air entendu.

— D'où tiens-tu cela ?

— Je l'ai vue se faufiler dans une chambre.

— Chez un client ?

Nouveau hochement de tête lourd de signification.

— En soi, ça ne veut rien dire.

— Si. C'est moi qui ai fait le lit, plus tard.

— C'est ce que je disais : comme on peut se tromper sur les gens.

Elles gloussèrent toutes les deux. María ralluma l'aspirateur. Mais elle l'éteignit de nouveau peu de temps après.

— Il est encore là ?

— *Ya se fue*, déjà parti.

— *Pobrecita*, dit María. Pauvre petite.

— Mais il va revenir.

— D'où tiens-tu cela ?

— Il va revenir chercher les affaires de son oncle mort.

Troisième partie

1

L'éclairage de son miroir de salle de bains était flatteur. Ce n'était pas un hasard, Allmen accordait une grande valeur aux mensonges existentiels. Pourquoi se compliquer la vie en refusant de s'épargner un peu ? Or l'un des moyens de ne pas se faire de mal était la lumière. Pas seulement celle de la vérité.

Les lampes de ce miroir-là avalaient les ombres dures et gommaient donc une partie des irrégularités autour des yeux et des sourcils. Il avait meilleure mine, et comme son état moral avait toujours fortement dépendu de son aspect physique, il se sentait mieux aussi. Au point qu'il avait définitivement décidé de retourner à l'hôtel.

Il noua un cache-œil noir autour de sa tête. Il l'avait porté des années plus tôt lors d'un bal masqué à Florence – c'était son unique déguisement, car le frac qu'il portait à l'époque n'était pas un costume. Il l'avait fait réaliser sur mesure par un tailleur viennois, spécialement pour le bal de l'Orchestre philharmonique, dans la Salle d'Or du Wiener Musikverein. Le bal le plus sélect de toute la saison viennoise.

Son cache-œil était en soie doublée et en forme d'écusson. On nouait ses rubans à l'horizontale autour du front, juste au-dessus des sourcils de son œil en bon état. Cela donnait à son regard un air de sévérité et de scepticisme permanents.

Porté avec son complet en cachemire gris pigeon, son bandeau lui donnait une élégance canaille bien assortie à l'humeur où il se trouvait. Depuis l'appel de María Moreno, vingt minutes plus tôt.

Cheryl Talfeld! La sévère assistante de Dalia Gut-bauer était-elle effectivement le chaînon manquant, celui qui reliait le quatrième étage avec l'hôtel? Ni lui ni Carlos ne l'avaient prise en compte dans leurs hypothèses, ne fût-ce que l'espace d'un instant. Elle était la représentante de leur cliente. En règle générale, les enquêteurs n'ont pas l'habitude de compter leurs commanditaires dans le cercle des suspects.

Il leva le bras droit dans son écharpe triangulaire en tissu noir. Il pouvait certes de nouveau plus ou moins l'utiliser, il s'était même rasé sans l'aide de Carlos. Mais cette écharpe lui évitait la pression sur la cage thoracique. Et puis cela allait bien avec son bandeau sur l'œil.

Il entendit la sonnette. C'était sûrement M. Arnold.

Carlos l'attendait avec le Crombie noire à doublure rouge, qu'il lui jeta sur les épaules.

— *Cuídese bastante*, Don John, lui lança-t-il sur le chemin : prenez bien garde à vous.

M. Arnold sursauta lorsqu'il vit son client préféré.

— Pour l'amour du ciel, monsieur von Allmen, s'exclama-t-il. C'est si grave que ça, l'œil?

— Ça se remettra, le tranquillisa Allmen en repoussant le bras du chauffeur qui voulait l'aider.

De la main gauche, il ôta son manteau de son épaule, le jeta sur la banquette, se tint à la poignée vissée au-dessus de la portière et se glissa à l'intérieur en serrant les dents. M. Arnold ferma la porte avec un soin exagéré.

— On n'est plus en sécurité nulle part, grogna-t-il tandis qu'ils descendaient la Colline aux Villas pour rejoindre la ville.

Allmen ne répondit pas. Il avait toujours apprécié que M. Arnold ne se lance pas dans ces conversations de taxi sur la politique de l'immigration. Il n'allait pas commencer ce jour-là.

Son aspect suscita aussi l'émotion du portier en uniforme gris et de M. Klettmann, le concierge. Mais Allmen fit un signe de héros de western pour indiquer que tout allait bien. Ce n'était qu'une égratignure.

— Mme Talfeld est dans les lieux? demanda-t-il.

Il comptait profiter de son élan. M. Klettmann répondit d'un hochement de tête.

Allmen la fit appeler au téléphone et demanda un rendez-vous.

— Quand?

— De préférence tout de suite.

— Où?

— Où nous pourrons parler sans être dérangés.

Elle réfléchit.

— Cela peut tout à fait être dans ma suite, proposa-t-il.

— J'ai une meilleure idée. Je suis au lobby dans cinq minutes.

Elle portait aussi un tailleur rouge de la même couleur que son rouge à lèvres et des bas assortis à ses escarpins laqués noirs.

Allmen se souleva sur son bras valide pour s'extraire du fauteuil et marcha à sa rencontre.

— C'est un déguisement, ou bien vous êtes blessé ? demanda-t-elle à voix basse.

— Petit accident de travail. C'est hélas très courant dans notre secteur. Où allons-nous ?

Elle le guida jusqu'à l'ascenseur et appuya sur le bouton du sous-sol. « Salles de conférence », lisait-on sur le bouton. Il la suivit dans une grande pièce dont les fenêtres haut perchées permettaient de voir un peu du mur extérieur où l'on avait peint, en symétrie, une fresque représentant le jardin. La pièce se trouvait sous la véranda. Cela sentait un peu le moisi, le dernier séminaire tenu dans ces lieux devait remonter à loin. Mais sur le paperboard que l'on avait dressé à l'étroite extrémité de la grande table de réunion, on voyait toujours ces dessins d'une gaucherie touchante avec lesquels les cadres tentent désespérément de mettre de l'ordre dans leurs idées.

Mme Talfeld prit place à la table et désigna une chaise en face d'elle.

— Le décor n'est pas bien charmant, mais on ne nous dérangera pas.

Allmen s'assit.

— Ça tombe très bien. Ce que j'ai à vous dire n'a rien de très charmant non plus.

Elle dressa l'oreille.

— De quoi s'agit-il ?

— De vous.

— De moi ?

— De vous et M. Tenz.

Cheryl Talfeld resta muette. Ses traits se détendirent comme s'il venait de lui ôter une lourde charge. Elle sourit. Un sourire tendre et paisible, comme il ne lui en avait encore jamais vu.

— Dix jours. Je pensais que vous mettriez moins de temps pour tomber là-dessus.

Allmen leva les mains pour s'excuser.

— Vous faites partie des commanditaires.

Quelques petites bouteilles d'eau minérale, des verres et des décapsuleurs étaient posés sur la table. Elle en ouvrit deux et servit. Allmen la regardait sans rien dire.

Soudain elle changea d'avis, se dirigea vers la porte, appuya sur une sonnette.

— J'ai peut-être besoin d'une vraie boisson. Et vous?

— Je vous accompagne.

Ils attendirent. Concentrés et silencieux comme deux sportifs se préparant à s'affronter pour un titre. On frappa. Un serveur entra et demanda :

— Que puis-je vous apporter?

Elle commanda un Manhattan, Allmen l'imita.

Elle donna d'abord l'impression de vouloir se taire jusqu'à ce que le serveur ait apporté leurs drinks. Mais elle se mit tout de même à parler. Sur le ton familier de deux personnes qui font connaissance.

— Quel âge avez-vous, monsieur von Allmen?

— Le milieu de la quarantaine.

— Jeune. Pour un homme.

— Les femmes vivent plus vieilles.

— Mais elles le deviennent aussi plus tôt.

— Alors elles le sont encore plus longtemps.

Toujours ce sourire d'une singulière tendresse.

— Ça n'est pas un avantage. Les femmes n'aiment pas vieillir.

— Personne n'aime vieillir.

— Vous êtes marié?

Allmen répondit par la négative.

— Vous ne l'avez jamais été?

— Une fois, presque.

— Et maintenant ? Vous vivez avec quelqu'un ?

Carlos et María lui vinrent à l'esprit et il sourit.

— Pas comme vous l'entendez.

— Quand on vit dans un hôtel, on devient tolérant sur ce genre de choses.

— Pas comme ça non plus, madame Talfeld.

— Vous êtes donc célibataire, comme moi.

— Je pensais que vous ne l'étiez plus ?

On frappa. Le garçon apporta les drinks et quelques petites coupes en argent remplies de chips, d'olives et d'amandes chaudes.

Ils attendirent d'être de nouveau seuls.

C'est elle qui reprit la parole, comme s'ils n'avaient jamais été interrompus.

— Je le suis de nouveau. Je l'ai sans doute toujours été.

— Et cette histoire avec M. Tenz ?

— *Just one of those things.*

Elle prit une gorgée de son Manhattan et il fut une fois de plus impressionné par sa descente.

Cheryl Talfeld posa le verre et se raidit.

— Je vais vous faire une proposition : je vous raconte ce que vous voulez savoir, mais à une condition.

— Qui serait… ?

— Vous le gardez pour vous.

— Mais il faut bien que j'informe Mme Gutbauer.

— Il faut que vous retrouviez le tableau, c'est votre mission. Et je vais vous y aider.

Allmen prit le temps de réfléchir.

— Marché conclu ?

— Tant que ce n'est pas absolument incontournable, dit-il finalement.

Cheryl Talfeld s'en contenta.

— Que voulez-vous savoir ?

— Racontez comme cela vous vient. Je ferai le tri ensuite.

2

— Lorsque Mme Gutbauer a acheté l'hôtel, j'occupais les fonctions de *Food-and-Beverage-Manager*. À l'époque, ça s'appelait encore directrice adjointe. Pour être précise, c'est moi qui faisais tourner la boutique. Le directeur était un bras cassé. Mme Gutbauer m'appréciait. Elle me confiait sans arrêt des missions qui n'avaient rien à voir avec la gestion de l'hôtel, et un jour elle m'a proposé une place d'assistante personnelle. J'ai refusé, mais elle a fait en sorte qu'on me licencie. C'est ainsi que j'ai atterri auprès de Mme Gutbauer.

— Et pourquoi n'avez-vous pas cherché du travail dans un autre hôtel ?

Cheryl Talfeld vida son verre jusqu'à ce qu'il n'y reste plus que la cerise.

— Le salaire était bon et le travail facile.

— En quoi consiste-t-il ?

— Je la manage. Et je fais le lien avec son management.

— Quel management ?

Cheryl Talfeld sourit.

— Mme Gutbauer a placé dans plusieurs fonds de placement la fortune qu'elle avait héritée de son père, et la fait fructifier. Elle garde quatre-vingt-dix pour cent des parts. Le reste est réparti entre les directeurs qui, jusqu'à ce jour, prennent leurs instructions auprès d'elle. Et ce par mon intermédiaire… Soyez gentil, sonnez encore une fois.

Allmen se leva et sonna. Il était encore debout lorsqu'il demanda :

— Et vous faites ça depuis combien de temps ?

— Vingt-deux ans. Elle en avait soixante-dix et en avait assez de sa vie de bohème. Elle ne restait jamais dans le même lieu et souffrait, c'est ce qu'elle m'a raconté, d'un irrépressible besoin de courir le monde, où qu'elle se trouve. Jusqu'à ce qu'elle comprenne que ce qu'elle prenait pour de la bougeotte était simplement le mal du pays.

— Et pourquoi ici, dans cette grosse boîte ? Pourquoi pas dans une belle villa à flanc de montagne ? Puisque de toute façon elle ne sort jamais ?

— Je l'ignore. Beaucoup de ce que fait Mme Gutbauer est étrange. Cela tient peut-être au fait qu'elle a grandi ici. Là où se trouve à présent l'immeuble de bureaux en verre. (Elle indiqua la direction.) Juste à côté de l'hôtel, c'est là que vivaient ses parents autrefois.

On frappa et le garçon apporta la deuxième tournée de drinks. Ils attendirent d'être de nouveau seuls.

— Et vous ? Pourquoi êtes-vous restée si longtemps ?

— J'ai neuf lettres de démission dans mon dossier. Chaque fois, elle m'a fait revenir.

— Comment ?

— L'argent. Je crains d'être un peu vénale. Pas vous ?

— Pour moi l'argent n'a jamais eu grande importance.

Allmen prononça cette phrase avec le même détachement que chaque fois qu'elle lui sortait de la bouche. Et, comme chaque fois, il apporta cette restriction :

— Sauf aux moments où je n'en ai pas.

— Il ne s'agit pas forcément toujours d'argent. Il y a aussi d'autres moyens de paiement.

— Par exemple?

— L'amour.

— Je comprends.

— Je ne sais pas si vous comprenez. Je me suis qualifiée de célibataire, tout à l'heure. Mais ça n'est pas vrai. Une femme de mon âge n'est pas célibataire. À mon âge, on est une femme seule. Alors on est vulnérable à cette monnaie qu'est l'amour.

— Et Tenz en a profité.

Elle but une gorgée. Puis elle posa le verre devant elle, en garda le pied dans la main en le faisant tourner sur son axe entre le pouce et l'index. Elle se concentrait pour que la cerise bouge le moins possible. Et elle continua à parler :

— J'avais fait sa connaissance lors de ses visites chez Hardy Frey. J'ai rapidement compris que ce n'était pas à moi qu'il s'intéressait. Mais je n'étais pas du tout pressée de savoir ce qu'il voulait vraiment. Plus tard je l'apprendrais, plus cette histoire durerait, je le savais. (Elle jeta un bref regard de l'autre côté de la table, comme s'il avait posé une question au vol.) Tout à fait. Par expérience.

Le verre se remit à tourner.

— J'ai été surprise quand il m'a dit de quoi il était question. Mais, au bout du compte, c'est la partie romantique du projet qui m'a poussée à accepter.

Cette fois elle se contenta de porter rapidement le verre à ses lèvres, puis recommença à le faire tourner.

— Il avait un ami disposé à payer très cher un tableau de dahlias d'Henri Fantin-Latour qu'il voulait offrir à sa maîtresse. Claude savait par son grand-oncle que Mme Gutbauer en possédait un, parce qu'il l'avait volé pour elle des années auparavant. Pour le même motif romantique. Ce tableau semble être destiné à servir de cadeau d'amour.

— C'est pour cela que vous avez accepté? demanda Allmen, incrédule.

— Le tableau était volé, Mme Gutbauer pouvait difficilement aller voir la police. L'affaire ne semblait pas très risquée.

— Alors vous avez envoyé la jeune fille au chevet de sa mère pour laisser à Tenz le temps de faire sortir le tableau de l'immeuble.

Elle acquiesça.

— Ma mission à moi, c'était de lui faire quitter le quatrième.

— Puis-je vous demander comment vous avez fait?

— De nuit, dans un chariot de nettoyage. Il m'a suffi de le faire entrer dans l'ascenseur puis de le pousser à l'extérieur un étage en dessous. Là, M. Tenz l'a pris en main. Il s'est occupé de tout le reste.

— Et prendre à Mme Gutbauer son cadeau d'amour, ça ne vous a pas posé de problème?

La réponse était teintée de mépris.

— Ça n'était plus un cadeau d'amour depuis longtemps. C'était un trophée. Tout comme Hardy Frey lui-même.

— Un trophée?

Elle resta concentrée sur son verre à cocktail.

— Hardy Frey a été son grand amour. Pour lui, elle a abandonné sa vie de noceuse et elle est passée dans la clandestinité. Avec lui, c'est elle qui le dit, elle a vécu les dix plus belles années de sa vie. Elle ne lui a jamais pardonné de l'avoir quittée pour une plus jeune.

— Teresa Cutress, n'est-ce pas ? Née Schneydter. La jeune créature que Dalia Gutbauer avait introduite dans le beau monde.

— Elle ne m'a jamais dit ça comme ça. Juste que c'était une traîtresse. Cela dit, j'ai compris toute seule. Teresa. Elle aussi, un trophée.

— Et comment sont-ils devenus des trophées ?

— Depuis leur séparation, Mme Gutbauer le surveillait. Le faisait surveiller. Hardy Frey était constamment en délicatesse avec la loi ; chaque fois, c'est elle qui fournissait cautions et avocats. Voilà dix ans, tout d'un coup, elle l'a laissé tomber. Il n'a pas fallu deux années avant qu'il ne soit totalement grillé et criblé de dettes. Alors elle l'a fait monter à bord. Elle lui a donné la suite, a payé son séjour et couvert ses dépenses. Il a vécu ici pendant huit ans, dans une totale dépendance à l'égard de Mme Gutbauer. Je crois que, pendant tout ce temps, elle n'a pas échangé dix mots avec lui. (Elle leva le verre encore presque plein et le vida à moitié.) Avec sa part du prix du tableau, il aurait pu s'offrir encore un peu d'indépendance pour ses dernières années. Cette idée me plaisait. Je ne pouvais pas deviner qu'il s'agissait de ses derniers jours.

Allmen but une gorgée.

— Tenz voulait donner une part à son oncle ? J'ai entendu dire que c'était un voleur d'héritage.

— On est injuste avec lui. Claude aimait bien son oncle. Il pouvait passer des heures à écouter Hardy raconter ses histoires. Ils étaient aussi parents par l'esprit. Non, non, il l'a aussi fait pour Hardy. Son grand-oncle était dans le secret.

Allmen en prit note avec étonnement.

— Et Teresa Cutress? Comment s'est-elle retrouvée entre les griffes de Dalia Gutbauer?

— Après Hardy, elle en a épousé un autre, c'est pour cela qu'elle s'appelle Cutress. Pour pouvoir rivaliser avec les jeunes amies de son mari, elle n'a cessé de se faire opérer. À la fin, il l'a quitté tout de même, et il est mort peu après en laissant une montagne de dettes. Mais Dalia ne s'est pas contentée de ça. Quand Teresa s'est vraiment retrouvée dans de sales draps, elle l'a fait venir à l'hôtel. Par altruisme. Mais en vérité – je ne trouve pas d'autre mot – c'était un trophée.

Au silence qui suivit se mêla tout d'un coup le bruit d'une grosse averse qui gicla devant les soupiraux et en recouvrit les vitres de motifs en gouttes d'eau.

— Et maintenant?

Sa question semblait résignée.

— Maintenant? Maintenant je dois parler à M. Tenz.

— Ça ne va pas être très simple. Il est introuvable.

— Il suffit que vous me donniez son numéro.

— Je ne l'ai pas.

— Personne ne semble l'avoir. Et pourtant Tenz a pointé le bout de son nez ici peu après la mort de Hardy Frey. Quelqu'un l'a forcément prévenu.

Cheryl Talfeld resta silencieuse.

— Vous avez promis de m'aider à retrouver le tableau. Pour que je puisse le faire, il faut me donner le numéro. Sans ça notre accord ne tient pas.

Il vit sur son visage qu'elle était intéressée, mais elle leva les yeux vers les vitres. Les tristes reliques du parc de l'hôtel et du pavillon se dessinaient en traits flous derrière le film d'eau de pluie.

— Vous avez de quoi écrire ?

Il sortit de sa poche de poitrine un bloc-notes relié en cuir et brandit le stylo en ébonite gris fumée.

Cheryl Talfeld lui dicta le numéro. De mémoire.

3

Ce soir-là, Allmen eut une nouvelle surprise : au grill, à la table de Hardy Frey, était installée Teresa Cutress. Avec la distance, et à la lumière tamisée du restaurant, elle ressemblait effectivement à une jeune fille. Ses vieilles mains étaient dissimulées sous des gants de dentelle noire. Il la salua d'un hochement de tête, elle répondit gracieusement de la même manière.

Lorsque le maître d'hôtel vint lui apporter la carte, il remarqua :

— Mme Cutress non plus, on ne la voit pas souvent ici.

— Ça n'est encore jamais arrivé, depuis que je travaille ici.

Mme Gondrand-Strub et sa sœur, Mlle Strub, étaient à leur table et discutaient à voix basse. Il était question de toute évidence de Teresa Cutress. Il dut hocher la tête plusieurs fois dans leur direction avant qu'elles ne réagissent. Elles étaient peut-être offusquées qu'il ait commencé par adresser un sourire à la nouvelle.

Le grill était comme toujours peu fréquenté : les rares pensionnaires permanents, au nombre desquels Allmen se comptait presque déjà, et une poignée de clients de l'hôtel. Cela, joint à l'éclairage intime, donnait à la salle une atmosphère presque familiale. Les tintements de couverts qu'on entendait çà et là, les gammes discrètes qui provenaient du piano du bar et les odeurs de repas familières y contribuaient.

Pour s'accorder avec cette ambiance douillette, Allmen commanda de la poitrine de veau farcie garnie de purée de pommes de terre et de légumes de saison variés. La seule touche d'exotisme était la bouteille de Camins del Priorat qu'il choisit pour accompagner le plat.

Pendant qu'il attendait le vin, il fit quelque chose qu'il ne pouvait pas supporter chez les autres : il posa son portable à côté de l'assiette. Il pouvait ainsi le garder en position silencieuse tout en vérifiant si l'appel important qu'il attendait finissait par arriver.

Après les aveux de Cheryl Talfeld, il avait eu une longue conversation téléphonique avec Carlos. Ils avaient discuté de la manière dont le numéro de portable de Claude Tenz pouvait le guider jusqu'à sa tanière. Allmen avait espéré que Carlos disposerait d'une possibilité de localiser le portable. Mais Carlos lui avait expliqué que c'était impossible sans l'aide de la police ou de la compagnie de téléphone, voire des deux. Il avait une autre proposition :

— Vous avez bien dit que le Señor Rebler est un homme d'affaires. Si on lui propose le bon prix, il vendra le tableau.

— *Así es.*

— *Una sugerencia, nada más.*

— *Diga.*

— Nous devrions peut-être essayer de lui faire une proposition. Mais pas directement. Par le biais du Señor Tenz.

Le plan était d'une simplicité désarmante. Carlos

avait composé le numéro de Tenz et constaté qu'il tombait sur un répondeur. Allmen devait y laisser le message suivant : Mme Gutbauer était disposée à verser une somme élevée en échange du tableau. M. Tenz était prié de rappeler.

Allmen avait tout de suite accepté. Ce qui avait fait durer la conversation avec Carlos, c'était l'évaluation de la somme.

Sur cette question-là aussi, Carlos fit preuve de plus de sens pratique :

— Un million deux cent quatre-vingt mille, c'était le prix atteint par le tableau au moment où le Señor Rebler a quitté les enchères. Vous n'avez qu'à aller au-delà de cette limite.

Allmen prit note de cette proposition et dit qu'il allait réfléchir.

Il ne réfléchit pas et proposa deux millions. Après tout, Mme Gutbauer avait dit que, pour elle, ce tableau n'avait pas de prix.

Qui plus est, les honoraires s'élevaient à dix pour cent du prix de l'œuvre retrouvée.

C'était aussi pour cette raison que l'appel qu'il attendait avait une telle importance.

4

Au dessert – une cassate maison – se produisit une scène notable. Teresa Cutress se leva de table et, tête haute, vacillant sur ses escarpins périlleux, traversa toute la salle.

Lorsque Allmen constata qu'elle se dirigeait vers lui, il se leva et boutonna sa veste.

— Inviteriez-vous une jeune fille assoiffée à boire un drink ? demanda-t-elle.

Allmen lui offrit un siège et attendit qu'elle soit assise. Les regards des autres clients étaient braqués sur eux. Les deux sœurs discutaient en marmonnant, tout excitées.

— Caipirinha ? dit-il.

— Très attentif, répondit-elle.

Allmen commanda, lui-même en resta à son vin.

— Ça vous va bien, le bandeau sur l'œil. C'est grave ?

— Ça va. Je le porte surtout pour épargner aux gens la vision de mon œil.

— Merci.

Elle le regarda en souriant. Ils étaient là, de nouveau, les yeux de la jeune femme sur la photo. Leur éclat révélait que la caipirinha n'était pas la première boisson qu'elle avait bue ce jour-là pour se donner de l'entrain.

— Sachez que je ne descends pas souvent ici, fit-elle en guise d'entrée en matière.

Allmen se demanda s'il devait passer sous silence le fait qu'il le savait bien. Mais il décida d'utiliser le reste de l'élan que lui avait conféré son nouveau look et de ne pas tourner autour du pot.

— C'est la première fois en quatre ans, n'est-ce pas ?

Elle fit semblant de ne pas avoir entendu et consacra toute son attention au barman qui lui apportait son cocktail.

Quand il fut parti et qu'elle eut bu une gorgée, Allmen reprit :

— Vous n'êtes jamais descendue parce que vous n'aviez pas envie de rencontrer Hardy Frey, que vous aviez piqué à Dalia Gutbauer du temps où il s'appelait encore Leo Taubler.

— Je n'ai jamais eu besoin de piquer des hommes, releva-t-elle, mutine. Ils venaient d'eux-mêmes.

Allmen ne s'arrêta pas sur sa remarque.

— Dalia Gutbauer était une amie à vous. Elle vous avait introduite dans le beau monde.

— Une amie ! laissa échapper Teresa Cutress avec mépris. Dalia a presque vingt ans de plus que moi. C'était ma marraine. Ma mère et elle ont été amies un moment.

— Dans ce cas, que Leo Taubler l'ait quittée pour vous a dû l'atteindre doublement.

— Vous pouvez en être certain. Elle n'a jamais pardonné, ni à lui, ni à moi.

— Vous vivez et viviez pourtant tous les deux de sa générosité ?

— Je ne dirais pas « générosité ». C'est son caractère inconciliable. Du fait que nous ayons dû vivre ici par un effet de sa bonté, elle pouvait savourer chaque jour son triomphe à notre égard. Nous vivons de sa volonté de vengeance. Pas très beau, mais fort confortable.

Elle but une gorgée de son cocktail.

— Elle a aussi veillé à ce que je dépende de sa prétendue générosité. Mon dernier mari, Joe Cutress, qui aurait dû payer ma pension alimentaire, possédait une entreprise de pièces détachées pour machines agricoles. Dalia a fait acheter par l'une de ses sociétés financières la majorité des actions de son principal client et s'est débrouillée pour que celui-ci ne lui passe plus de commandes. Dalia savait sûrement qu'il n'avait aucune espèce de réserves et qu'aucune banque ne lui faisait plus crédit. Aussi simple que cela. (Elle leva son verre vide.) Je peux en reprendre un ?

Allmen fit signe au garçon et commanda une autre

caipirinha. Pendant qu'ils l'attendaient, il changea de sujet :

— Lors de notre dernière conversation, vous connaissiez l'existence d'un tableau précieux qui avait été volé à Mme Gutbauer…

— Les *Dahlias* de Fantin-Latour, fit-elle en lui coupant la parole. C'est après eux que vous courez, n'est-ce pas ?

Allmen eut besoin d'un petit moment pour reprendre contenance et contrer :

— Si vous exigez que je sois loyal, je l'exige aussi de votre part.

Elle hésita un court instant avant de répondre :

— OK.

Le garçon apporta le drink, leur laissant à tous les deux un nouveau temps de répit. Puis Allmen demanda :

— Que savez-vous des *Dahlias* de Fantin-Latour ?

— Hardy — je l'appelle Hardy, Leo a pris ce nom après avoir quitté Dalia — Hardy les a volés il y a plus de cinquante ans pour celle d'en haut — quelques-unes des choses folles qu'il a faites étaient tout à fait charmantes. Les *Dahlias* sont ainsi devenus une cible libre. N'importe qui peut le voler sans qu'on appelle la police.

— Et cette fois ?

— Cette fois, c'est nous qui l'avons volé.

Elle porta le verre à ses lèvres gonflées et but une gorgée.

— Nous ? s'exclama Allmen.

— Hardy, Claude et moi.

— Je croyais que vous évitiez Hardy Frey ?

— Claude nous avait rapprochés.

— Vous connaissiez M. Tenz?

— Bien entendu. Sa mère était une nièce de Hardy. Je le connaissais déjà dans son enfance.

— Et comment est-il parvenu à vous rabibocher?

— Il y a environ un an, il a appris que son grand-oncle vivait ici et il a commencé à venir le voir. Hardy, qui ne sait pas tenir sa langue, lui a révélé à un moment que je logeais ici, moi aussi, et il m'a rendu de temps en temps visite. Un jour, il est venu avec le vieux. De là, nous nous sommes retrouvés quelquefois tous les trois chez lui ou chez moi, pour ce que nous appelions un thé.

L'idée plut à Allmen. Sa voix manquait du sérieux nécessaire lorsqu'il demanda :

— Et comment l'idée vous est-elle venue de détourner le tableau?

— Vous savez, je lis le journal. Dans ma situation, il n'y a plus grand-chose d'autre à faire que lire le journal, faire des patiences et boire des cocktails. Un jour, j'ai lu l'entrefilet sur ce Fantin-Latour qui avait atteint un tel prix chez Murphys', et j'ai évoqué cette histoire parce que je savais que Hardy avait volé un tableau du même peintre, autrefois, pour Dalia. Lequel savait que le tableau était toujours accroché chez elle parce que, des années plus tôt, une femme de chambre indiscrète l'avait reconnu sur la photographie accrochée au-dessus du lit de Hardy. Et pour finir, Claude qui connaissait l'identité de l'homme qui s'était fait doubler aux enchères.

— Et l'idée vous est venue de le voler.

— Non, pas à moi, à Hardy. Mon idée à moi, c'était la manière de le faire.

— Cheryl Talfeld.

Teresa Cutress but la dernière gorgée de son verre.

— Claude a beaucoup de charme.

— Et vous avez partagé les bénéfices?

— Comme ça, Dalia nous aide à prendre un peu d'indépendance par rapport à Dalia.

Le portable d'Allmen s'alluma. «Tenz», affichait l'écran.

— Pardonnez-moi, ça, il *faut* que je réponde.

Allmen prit l'appel, dit : «Un instant» et passa dans le hall d'accueil.

— Voilà, maintenant nous pouvons discuter.

— Vous voulez me parler?

— D'urgence. Où puis-je vous retrouver?

— Vous connaissez Biarritz?

— Le restaurant?

— La ville, sur l'Atlantique.

— Je connais. Où logez-vous?

— Là où vous logeriez vous aussi.

— Quand?

— Dix-huit heures? Apéritif?

— Au bar?

— *D'accord.*

Il raccrocha, appela le département Voyages d'Allmen International Inquiries et le chargea d'organiser son déplacement.

— *Muy bien*, Don John, dit le spécialiste des voyages.

— *Muchas gracias*, Carlos, répondit son commanditaire.

5

Le ciel était bas sur l'Atlantique agité. Allmen avait fait un vol chaotique dans un appareil beaucoup trop petit à son goût et roulait à présent dans la limousine empuantie par le tabac d'un Basque qui avait le mérite d'être laconique et le conduisait sur la route côtière en direction de Biarritz.

Carlos lui avait réservé la Douglas Fairbanks, sa suite préférée à l'Hôtel du Palais. Bien qu'il ait eu l'intention de reprendre l'avion le lendemain, deux bagages l'accompagnaient dans le coffre : sa petite valise de voyage et son sac à vêtements sur roulettes.

Allmen portait toujours son bandeau de soie sur l'œil. Il lui avait donné une énergie encore inédite. Et il pensait que celle-ci pourrait lui être utile pour ses négociations avec Tenz.

Ils passèrent le portail en fer forgé et l'allée qui menait à l'Hôtel du palais. La vue du château sur sa petite bande de terre éveilla les souvenirs de semaines passées ici au mois d'août, il y avait bien longtemps de cela.

Le voiturier qui dirigeait le déchargement de l'auto n'avait pas changé.

— Monsieur de Allmen, l'appela-t-il.

Allmen entra dans le hall d'accueil aérien où un large escalier s'élevait comme en apesanteur vers les étages supérieurs. La jeune réceptionniste ne l'avait encore jamais vu, mais lui souhaita un bon retour à l'Hôtel du Palais et lui tendit le formulaire d'inscription pour qu'il le signe. Tout le reste était déjà rempli. L'adresse était toujours la même : villa Schwarzacker. Allmen ne vivait certes plus dans le bâtiment principal, mais dans la petite maison de jardinier, mais cela, ici comme ailleurs, ne regardait que lui.

La suite Douglas Fairbanks n'avait pas changé : chambre, salon, boudoir, le tout garni d'un choix de meubles Empire. Beaucoup de marbre dans la salle de bains et les toilettes, et toujours la baignoire ronde qu'il avait déjà jugée un peu déplacée la dernière fois.

Il s'approcha de l'une des hautes fenêtres et l'ouvrit. Les vagues submergeaient la plage déserte. Le fanion annonçant la tempête claquait sur le mât dressé à côté de la tour de surveillance vide. Loin vers le large, un surfer qui n'avait pas froid aux yeux.

Il ferma la fenêtre et défit sa valise. Puis il prit une douche et passa son trois pièces gris ardoise en cachemire. Avec ce temps-là, un gilet ne pouvait pas faire de mal.

Lorsqu'il noua sa cravate, son regard tomba sur une petite photo encadrée et il ne put s'empêcher de sourire. Elle montrait le jeune Douglas Fairbanks. Il portait un bandeau sur l'œil.

Il n'y avait personne au bar, à l'exception du vieux couple, qui donnait l'impression d'avoir été oublié là après le *tea time*. La femme lisait un journal, l'homme terminait une grille de mots croisés. Laquelle ne semblait pas particulièrement difficile, car chaque fois qu'il lui soumettait une définition, elle lui donnait la solution sans même quitter sa lecture des yeux. Allmen trouva une place dans un petit groupe de sièges un peu éloigné ; il espérait qu'il y serait, plus tard, à l'abri des oreilles indiscrètes, et commanda une eau minérale. Il ne voulait pas avoir plus d'alcool dans le sang que Tenz.

Le bar non plus n'avait pas changé. Quinze ou seize années devaient s'être écoulées depuis la dernière fois qu'il était venu ici. Mais il éprouvait toujours la mélancolie qui l'avait saisi à la fin de son dernier séjour. Quelques jours plus tôt, il avait pris congé de Gabrielle Tapping. Ils avaient passé deux semaines inoubliables à l'Hôtel du Palais, en sachant du début à la fin que ce seraient les dernières. Gabrielle était mariée et n'avait pas l'intention d'y changer quoi que ce soit. Ils avaient fait connaissance à l'hôtel et elle ne lui avait pas caché que leur histoire n'irait pas au-delà de leur séjour commun. Cela lui convenait parfaitement, il ne voulait pas se lier.

Mais plus le jour des adieux s'était rapproché, plus il était devenu clair à ses yeux que ce ne serait pas si simple. Ils étaient tous les deux en très bonne voie de tomber sérieusement amoureux l'un de l'autre. Après leurs adieux baignés de larmes, il avait encore passé ici trois jours mélancoliques. C'était le même sentiment qui s'insinuait en lui depuis son arrivée.

À six heures précises, le pianiste commença à jouer de l'autre côté de la salle. Peu après, un homme entra dans le bar, regarda à la ronde et se dirigea vers lui.

Tenz, le voleur de tableau.

6

Il était un peu plus replet que dans le souvenir d'Allmen ; le vent avait ébouriffé sa chevelure blond clair et il avait le teint d'un homme qui fait des promenades sur la plage.

Tenz commanda un Campari et Allmen l'imita.

— Vous êtes souvent au Palais en cette saison ? demanda-t-il pour lancer la conversation.

— C'est l'une des meilleures manières de résister au mois d'avril européen, répondit Tenz.

— Vous avez raison. Au Palais et au Hassler, à Rome.

— Le Hassler est un peu surchargé pour moi, objecta Tenz avant d'en venir droit au but : Qui êtes-vous ?

Allmen lui donna sa carte de visite officielle. Allmen International Inquiries. *The Art of Tracing Art.* Johann Friedrich von Allmen.

— Vous êtes détective ?

— Chasseur d'œuvres d'art serait plus juste.

— Vous savez que le tableau était déjà un objet volé avant qu'il ne change de propriétaire illégitime ?

— J'en suis bien entendu informé.

— Je voulais juste que ce soit évoqué. Afin que nous partions sur des bases identiques.

Allmen acquiesça.

— Donc, elle offre deux millions ?

— Offrir, c'est beaucoup dire. Elle est prête à les payer.

— Deux millions, c'est trop peu pour moi.

— Alors pourquoi m'avez-vous fait venir ?

— Quand on est prêt à faire passer deux millions de main en main, on est aussi prêt à donner plus.

— Je suis autorisé à aller jusqu'à deux.

— Personne ne lance l'enchère maximale au premier tour.

— Si j'étais vous, je ne me fierais pas à cela.

Tenz le scruta comme un boxeur toise son adversaire. Il changea de tactique.

— Le tableau a été vendu.

Allmen en changea aussi :

— Je sais. À Tino Rebler.

— Si vous savez les choses aussi précisément, pourquoi ne vous adressez-vous pas directement à lui ?

— C'est par vous qu'on y accède le mieux.

— Exact.

Tenz marqua un temps d'arrêt.

— Vous l'avez déjà informé, n'est-ce pas ?

Tenz acquiesça :

— C'est pour ça que je dis : deux millions, ça ne suffit pas.

— Parce qu'il l'a offert à sa Dalia.

Si Tenz fut surpris, il n'en laissa rien paraître.

— Entre autres.

— Qu'est-ce qu'il vous a versé ?

— Trop pour votre offre. Si nous voulons faire une bonne affaire tous les deux, lui et moi, il faut déjà monter l'enchère de base.

— Vous trois, vous voulez dire. N'oublions pas Teresa.

Cette fois, Tenz parut tout de même un peu ahuri. Mais il ne perdit pas son sens de la repartie.

— Nous quatre. Ne vous oubliez pas dans le lot.

Il éclata de rire. Allmen remarqua qu'il s'était fait blanchir les dents. Il s'avoua vaincu.

— Je vais prendre contact avec ma commanditaire.

— C'est cela. Le plus tôt sera le mieux.

Allmen se leva.

— Cela peut prendre un certain temps.

— Le temps, nous l'avons.

Il appela Carlos depuis sa suite.

— Jusqu'où dois-je monter, Carlos ?

— Mme Gutbauer n'avait-elle pas dit que pour estimer la valeur de la toile, vous deviez partir des trois millions et demi de dollars qu'avait atteints le tableau de fleurs de Fantin-Latour en 2000, chez Christie's, à New York?

— En valeur matérielle, elle avait insisté là-dessus. Immatérielle, le double.

— Dans ce cas je pense que nous pouvons aller jusqu'à trois millions, Don John.

Lorsqu'il revint au bar, le garçon apportait justement à Tenz un troisième Campari.

— Alors? demanda-t-il en tendant de prendre un ton détaché.

— *Good news*, répondit Allmen avant de le laisser frétiller encore un moment.

Tenz commit l'erreur de boire une gorgée dans son verre. Sa main trembla un peu, ce qui poussa Allmen à prendre une décision spontanée.

— Deux et demi, dit-il.

Après tout, son interlocuteur non plus n'était pas un honnête homme.

7

La rotonde était une salle ronde blanc et or, où la lumière émanant de lustres de cristal se mêlait à celle du crépuscule bleu. Ils étaient assis à la table de Tenz, près de la fenêtre, bien qu'Allmen eût préféré manger à sa table habituelle. En revanche, Tenz se rallia aux plats qu'Allmen avait commandés, poussé par la nostalgie : médaillon de foie gras à l'ancienne, haricots verts, pour l'entrée, sole cuite à la poêle, beurre meunière, pommes vapeur, en plat de résistance. Pour le vin aussi, il laissa le choix à Allmen : un Taittinger Comtes de Champagne rosé 2002 pour commencer, puis un Château d'Yquem 1996 afin de ne pas surcharger la note de frais de Mme Gutbauer. Et de pouvoir la faire suivre d'une deuxième, au cas où.

Dehors, l'Atlantique écumait et la pluie recouvrait les fenêtres de perles scintillantes. Les mets et les boissons, le fait que la négociation se soit achevée de manière satisfaisante pour les deux parties et une certaine parenté intellectuelle qui émergea peu à peu animèrent la conversation et transformèrent cette rencontre de conspirateurs en une soirée d'un agrément inattendu.

Tenz, lui aussi, avait voyagé loin, c'était un polyglotte et un amoureux des côtés agréables de la vie.

— C'est Cheryl, n'est-ce pas, qui m'a trahi.

— Nous ne révélons jamais nos sources, répondit Allmen.

— Comment l'y avez-vous amenée ?

Allmen ne répondit pas.

— Une femme étrange. Elle hait Dalia Gutbauer. Et pourtant elle reste auprès d'elle. Comme l'oncle Hardy. Il la haïssait et il est resté.

— Et comme Teresa Cutress, prolongea Allmen. Elle hait et elle reste.

— Ce que l'argent fait de nous, tout de même, dit Tenz d'une voix songeuse.

— Pas l'argent. Ceux qui le possèdent, le corrigea Allmen.

Tenz but la dernière gorgée de son verre et réfléchit à ce qui venait d'être dit. Il en vint à une autre conclusion :

— Ni l'un ni l'autre. Ce n'est pas ce que l'argent fait de nous. C'est ce que l'absence d'argent fait de nous.

Les deux experts secrets dans l'art de ne pas avoir d'argent étaient les derniers clients de la Rotonde. Allmen fit signe au garçon.

— Vous boirez bien encore un verre avec moi ? demanda-t-il.

Tenz acquiesça. Au serveur déçu qui avait espéré qu'Allmen lui demanderait l'addition, il commanda encore une bouteille de Château d'Yquem et le chariot à fromages.

— Mon oncle Hardy venait souvent ici, lui aussi. La première fois, c'était avec Dalia Gutbauer, à la fin des années cinquante.

— Votre oncle a eu une vie animée.

— Oh oui. Une vie animée avec une triste fin.

— J'étais dans la salle quand il est mort. Moi, il ne m'a pas donné une impression de tristesse.

— C'est une illusion. Qu'un homme aussi inconstant que lui ait dû passer les huit dernières années de sa vie dans une telle domestication n'était pas digne de lui.

— Quand même, tout à la fin, il s'est défendu une dernière fois.

Tenz hocha la tête, l'air maussade.

— Trop tard, malheureusement.

— Au moins, pour Teresa Cutress, cela survient à temps, répliqua Allmen, perdu dans ses pensées.

— Je l'espère.

Le serveur arriva et mit le vin en carafe. Il voulut le faire goûter par Allmen, mais Tenz lui fit signe de le lui donner.

— Vous êtes mon invité, dit-il.

— Non, c'est vous qui êtes le mien, répondit Allmen.

Tenz secoua énergiquement la tête.

— Si vous payez, je suis l'hôte de Mme Gutbauer.
Je ne le veux pas.

Il goûta le vin et le fit servir.

8

Ils rentrèrent ensemble dans l'avion trop petit, cette
fois encore secoués par des turbulences perfides. L'appareil était à moitié vide, la *Flight Attendant* resta assise
sur son strapontin, ceinture bouclée et mine soucieuse,
pendant la majeure partie du voyage.

Tandis qu'ils attendaient leurs bagages devant le
tapis roulant, Tenz demanda :

— Vous êtes certain que deux millions et demi sera
le dernier mot ?

— Je crains que oui.

— Et si ça ne mord pas ? On fait une croix dessus ?

Allmen sut qu'il ne donnait pas la bonne réponse :

— Dans ce cas, nous verrons.

Lorsque leurs valises arrivées, Tenz dit en guise d'au
revoir :

— C'est un plaisir de faire des affaires avec vous.

— Tout le plaisir était pour moi, répondit Allmen
avant d'ajouter : Mon chauffeur passe me prendre,
puis-je vous déposer quelque part ?

— Merci, on vient me chercher moi aussi, répondit
Tenz.

Allmen soupçonna fortement qu'il ne devait surtout
pas savoir où habitait Tenz.

M. Arnold attendait Allmen après la douane et lui prit son chariot à bagages. La vue de son protège-œil le ramena au sujet des «périls sur la sécurité publique», ce qui incita Allmen à rester assez laconique pendant le trajet.

Dix minutes avant d'y être, M. Arnold annonça leur arrivée par téléphone. Carlos les attendait devant le portail avec le petit chariot à ridelles.

Allmen prit congé de M. Arnold en lui versant comme d'habitude un pourboire exagéré. Le chauffeur le rangea avec le même geste hâtif et pudique que d'habitude, comme s'il s'agissait de quelque chose de honteux. Puis il sortit un document qui semblait l'embarrasser : une enveloppe frappée du logo maladroit de son entreprise.

— Ceci a dû se perdre dans les bureaux de votre administration.

— De quoi s'agit-il ?

— Hum… Uniquement des factures. De ces derniers… hum… derniers temps.

— Oh, comme c'est déplaisant. Êtes-vous sûr de les avoir envoyées avec le bon code postal ?

— Tout à fait certain. C'est le seul que j'utilise.

— Et avec la mention «facturation» ?

— Comme toujours.

— Quelle est la somme en question ? Permettez-moi de régler ça tout de suite.

Allmen palpa ses poches et grimaça de douleur lorsqu'il arriva au voisinage de ses côtes broyées.

— Non, je vous en prie, ça n'est pas si urgent que cela. Juste… (Il leva gauchement les mains vers le ciel.) … juste à l'occasion.

Sur le chemin de la maison du jardinier, Allmen ouvrit l'enveloppe. Elle contenait une copie des factures des cinq derniers mois. Pour un montant d'un peu plus d'onze mille francs.

Ce fut une des raisons pour lesquelles il passa sous silence les cinq cent mille francs supplémentaires lors du rapport qu'il fit ensuite à Carlos.

9

Sur un terrain industriel désert, aux portes de la ville, un taxi s'arrêta devant un entrepôt barré de l'enseigne « STORE & BOX ». Le client demanda au chauffeur de l'attendre.

Arrivé au guichet d'accueil, il déclina son identité et emprunta le monte-charge pour accéder au deuxième étage. Il entra dans un long couloir où s'alignaient des portes de métal peintes en bleu. Il avait la clef du numéro 2/14. Il ouvrit le compartiment et alluma la lumière.

La pièce était, du sol au plafond, remplie de cartons de déménagement. Ils portaient les noms imaginatifs de différentes entreprises : Trapolag Sarl, DIAGLOB & Partner, Durexcal Group, SECURTOTAL S.A. C'était tout ce qu'il restait de l'archipel de sociétés qui constituait l'empire de Claude Tenz.

Il déplia l'escabeau en aluminium et descendit le premier carton SECURTOTAL. Il contenait des classeurs de différentes couleurs. Chacun portait au dos une étiquette préimprimée « SECURTOTAL, technologies de sécurité » où l'on avait inscrit à la main une indication sur le contenu. Il sortit les classeurs, vérifia les inscriptions, les rangea de nouveau dans le carton et descendit le suivant.

C'est seulement au huitième carton qu'il trouva ce qu'il cherchait : un classeur portant l'inscription : «Dossiers clients Q–U». À la lettre «R» se trouvait une chemise portant le titre Reb./Dal., modèle GZR 441212. Il la sortit et l'ouvrit. Elle contenait quelques pages de données techniques, un formulaire rempli à la main avec des noms et des combinaisons de chiffres, et une carte en plastique. On y lisait «Carte de sécurité». En dessous, un numéro de dossier, un numéro de clef et un code.

Tenz mit le tout dans une petite mallette, rangea le reste, éteignit la lumière, souhaita une bonne fin de journée à l'homme de la réception et remonta dans le taxi.

Juste avant la fermeture de la boutique, muni de sa carte de sécurité, il parvint à commander un double de clef chez un serrurier accrédité.

10

Allmen avait eu l'intention de revenir le soir même au Schlosshotel. Mais après avoir fait le point avec Carlos, il avait saisi un livre au hasard dans sa bibliothèque, s'était assis pour un bref instant dans le fauteuil de cuir et s'était finalement laissé emporter dans la lecture de l'anthologie *À l'aventure* de Blaise Cendrars.

Lorsque des odeurs de repas lui parvinrent, il était déjà presque vingt heures. Dans la cuisine, il entendit le joli rire de María et la voix posée de Carlos. Et Allmen perdit l'envie de sacrifier cette soirée douillette au grill du Schlosshotel.

Le lendemain matin, M. Klettmann lui remit un message en même temps que sa clef. Il devait avoir l'amabilité de se présenter chez Mme Talfeld dès qu'il en aurait pris connaissance.

Au troisième étage flottait une odeur de peinture. Il vit par la porte ouverte de la suite de Hardy Frey que le parquet avait été recouvert de draps et que deux peintres étaient en train de refaire la chambre.

Dans sa suite, tout était comme il l'avait laissé, si ce n'est que l'air sentait encore un peu plus le renfermé. Il ouvrit les fenêtres du salon et de la chambre à coucher, puis regarda le lac en dessous de lui. De biais, en face, se trouvait le petit parc où on l'avait agressé. Deux skateboarders s'exerçaient à sauter au-dessus des petits blocs de granit entre lesquels étaient accrochées de lourdes chaînes d'acier destinées à séparer symboliquement le chemin et la pelouse. Un petit bateau-mouche passa devant lui sur le lac. On ne voyait pas de passagers sur le pont, la brise fraîche les avait sans doute rabattus vers l'intérieur.

On frappa. Cheryl Talfeld était à la porte.

— Alors? Vous l'avez rencontré?

Allmen la fit entrer et lui proposa un siège.

— Merci, je ne reste pas. Je voulais juste savoir comment ça s'était passé.

— Nous nous sommes rencontrés à Biarritz.

— Biarritz, dit-elle avec un sourire résigné. Nous avions l'intention d'y aller ensemble.

— Il vous adresse ses salutations.

Elle balaya cette phrase d'un geste de la main.

— Et maintenant? La suite?

— Il va essayer de racheter le tableau.

Elle secoua la tête.

— Racheter un tableau qu'un homme amoureux a offert à sa maîtresse ! C'est tout lui.

— Il pense que c'est possible si l'on y met le prix.

— Et c'est quoi, le prix ?

— Il va essayer avec trois millions.

Cette fois, c'est l'étonnement qui lui arracha un mouvement de tête.

— Et l'argent ? fit-elle en pointant le doigt au plafond.

— Elle m'avait dit que je devais tabler sur trois millions et demi, confirma Allmen. Mais pour elle, il est inestimable. Vu sous cet angle, c'est tout de même un bon prix, non ?

Cheryl Talfeld haussa les épaules.

— Demandez ça à Mme Gutbauer.

— Quand ?

Elle regarda sa montre et sortit son agenda de son sac à main.

— Elle fait une sieste après le déjeuner, ensuite elle a une heure sans rendez-vous. Je lui demande si elle peut vous recevoir à trois heures et demie et je vous tiens au courant.

— Vous croyez qu'elle va payer ?

— Difficile à dire. Mme Gutbauer est imprévisible. Il est possible qu'elle vous rie au nez, possible qu'elle pique une crise de rage, possible qu'elle laisse passer ça sans sourciller.

Il la raccompagna à la porte. Lorsqu'il appuya sur la poignée, elle posa la main sur la sienne.

— Nous sommes toujours d'accord : vous ne dites rien.

— Rien.

11

Mme Gutbauer portait de nouveau un costume Chanel, mais cette fois le tweed était vieux rose et les bordures vert pistache. Elle avait ramené ses cheveux blancs et denses en un chignon insolent, ses lèvres et ses ongles avaient la couleur du vieux bourgogne. Comme les deux dernières fois, elle le reçut dans le salon Art déco.

— Cheryl me dit que vous avez du neuf?

— En quelque sorte, confirma Allmen.

— Vous avez trouvé le tableau.

— Presque. Je sais qui l'a volé et à qui il l'a vendu.

— Qui?

— M. Tenz. Le petit-neveu de M. Frey.

La nouvelle la laissa tout de même muette l'espace d'une seconde.

— Et à la demande de Hardy, naturellement. Ce fumier perfide et ingrat. Et maintenant?

— Normalement, à ce stade de l'enquête, on prévient la police.

— Continuez.

— Et puisque c'est exclu, il faut prendre soi-même en charge le rapatriement de l'objet.

— Comment?

— Comme pour tout conflit, il y a deux voies possibles : la violence ou la diplomatie.

— La violence.

— Allmen International n'en a pas les ressources. Notre personnel n'est pas formé pour cela.

— Et celles pour l'alternative diplomatique, vous les avez?

— Nous, non. Mais vous, oui.

— Moi ? Et lesquelles ?

— L'argent.

— Mais ça n'est pas une ressource diplomatique !

— Les diplomates ne partagent pas votre point de vue.

Elle sourit.

— Le temps est révolu, où j'évoluais dans les milieux diplomatiques. Combien veut-il ?

— Trois millions.

— Quel âne. Le tableau vaut le double. Continuez.

Allmen était déstabilisé. Il lança un regard interrogateur à Cheryl Talfeld. Elle lui sourit et leva le pouce.

— Quel est le plan pour la remise ?

— En espèces. Donnant-donnant.

La vieille femme désigna du menton le point, situé en dehors de son champ de vision, où son assistante était assise.

— Cheryl fera le nécessaire. Donnant-donnant, mais qui commence ?

— Nous.

— Où ?

— C'est vous qui décidez.

— La suite de Hardy. Ce type verra à quel point elle est vide maintenant. Ça se fera quand ?

— Dès que l'on saura si le nouveau propriétaire est prêt à vendre.

— Propriétaire ! écuma Mme Gutbauer avec mépris. Qui est-ce ?

Allmen hésita. Alors s'éleva la voix de Cheryl :

— Quelqu'un qui l'a offert à sa petite amie. Une jeune Italienne – prénommée Dalia.

La vieille femme plongea dans le silence. Puis elle dit :

— Les hommes !

Elle tira de son corsage son émetteur rouge accroché au collier, pour appeler l'infirmière. Mais elle s'immobilisa d'un seul coup.

— Comment le tableau a-t-il pu quitter cet étage ?

Allmen s'était préparé à cette question.

— Ce point est encore à l'étude. Il existe plusieurs scénarios et plusieurs suspects. L'essentiel est toutefois que l'une des entreprises avec lesquelles Tenz a fait faillite vendait, installait et entretenait des systèmes d'alarme. Il est bien possible qu'il en ait gardé certaines connaissances spécifiques.

Cheryl Talfeld lui adressa un regard reconnaissant.

Dalia Gutbauer voulut répondre quelque chose, mais changea d'avis et s'adressa à son assistante :

— Cheryl, vous ne voulez pas appeler d'ores et déjà Meierhans pour l'argent liquide ? M. von Allmen me tiendra compagnie pendant ce temps-là.

À peine Mme Talfeld avait-elle quitté la pièce que la vieille dame s'adressa de nouveau à Allmen :

— Je ne sais pas ce que je ferais sans elle. Un peu revêche, la pauvre, mais précise, fiable, efficace et loyale.

Allmen l'approuva.

— Je vais vous demander de me faire un plaisir, von Allmen : si jamais vos investigations devaient montrer que Cheryl a quelque chose à voir avec cette affaire, je ne veux pas le savoir. Vous comprenez ? Épargnez-moi cela, d'accord ?

Elle marqua une longue pause. Puis elle ajouta, presque un peu honteuse :

— Je ne voudrais pas la perdre. Promis ?

— Promis.

Allmen pressentit qu'il venait de contribuer à rendre la pauvre Cheryl Talfeld encore un peu plus dépendante de Dalia Gutbauer.

12

Il s'était assuré qu'il n'y avait personne dans l'appartement. Il faisait encore jour lorsqu'il avait garé son Alfa devant l'immeuble de quatre étages et il avait attendu le crépuscule. Tout était resté sombre dans le luxueux penthouse.

Il allait tout juste prendre le risque de quitter sa voiture et de traverser la rue lorsqu'une BMW blanche s'arrêta ; le jeune Italien en descendit. Il alla vers l'entrée de l'immeuble et sonna.

La lumière s'alluma derrière l'une des fenêtres. L'homme prononça quelques mots dans l'Interphone et revint tranquillement à son véhicule.

Au bout d'un quart d'heure, il sonna encore une fois et prononça de nouveau quelques mots. Après dix nouvelles minutes, la lumière s'éteignit dans l'appartement et celle du hall d'entrée s'alluma. Peu après, Dalia Fioriti sortit de l'ascenseur et se dirigea vers la porte en verre. L'Italien sortit de l'auto et lui ouvrit la portière.

Lorsqu'elle monta, il vit qu'elle portait sous son très long manteau une très courte jupe.

Tenz laissa passer quelques minutes. Puis il enfila des gants de latex, sortit la valise du coffre, rejoignit l'entrée de l'immeuble et ouvrit.

L'ascenseur était encore en bas, empli d'un parfum capiteux. Tenz appuya sur le bouton du quatrième.

Il n'y avait pas d'écriteau sous la sonnette de l'appartement de Dalia. Mais sur le cadre de la porte était apposé un autocollant rouge portant le mot «Alarme!!» et le logo de SECURTOTAL. «Cet autocollant est plus efficace que toute l'installation», c'était la phrase standard qu'il avait fait apprendre par cœur à ses vendeurs.

Il répéta une fois encore le code à six chiffres qu'il avait gravé dans sa mémoire tandis qu'il attendait, ouvrit la porte et entra. La GZR 441212 se mit aussitôt à pépier, la lumière rouge clignotante lui indiqua l'endroit, près du vestiaire, où était installé le boîtier de commande. Il entra le code. Le piaillement s'arrêta.

La même note de parfum que celle de l'ascenseur embaumait l'appartement. Tenz n'alluma pas la lumière. Il sortit une petite lampe LED de la poche de son pantalon et regarda autour de lui.

Il se trouvait dans un grand salon dont les deux hautes baies vitrées donnaient sur la terrasse de toit. Il vit une cheminée ronde, un gigantesque écran plat et une cuisine à l'américaine.

La pièce était parcimonieusement aménagée avec des meubles design et ses murs étaient nus, mais à leur pied étaient adossées quelques grandes œuvres graphiques encadrées qui semblaient attendre qu'on les accroche.

Tenz passa dans la pièce suivante. C'était la chambre à coucher, celle dont il avait vu la lumière depuis la rue. Le lit gigantesque était en bataille, des vêtements et du linge jonchaient le sol. Les portes du placard qui occupait tout le mur étaient ouvertes.

Sur l'une des deux tables de chevet se trouvait une photo encadrée. Elle montrait Tino Rebler et Dalia Fioriti. Tous deux radieux, tous deux en maillot de bain, tous deux torse nu.

Le Fantin-Latour était accroché au-dessus du lit.

Tenz ôta ses chaussures et monta sur le matelas. Lorsqu'il décrocha le tableau, il vit sur le mur un contact qui n'était pas mentionné dans les documents de la Securtotal. L'entreprise qui avait pris la suite avait dû l'installer après coup. Une mesure de protection contre le vol pour un tableau volé, désormais pour la troisième fois.

Il traversa le matelas mou en portant le tableau dont la lourdeur l'étonna, rejoignit le bord du lit et perdit l'équilibre. Comme il ne voulait pas lâcher le tableau, il ne put amortir sa chute avec ses mains, et en tentant de le faire avec ses pieds, il se foula la cheville gauche. Le tableau s'écrasa sur le sol de béton banc poli, et lui derrière. Il s'écorcha la joue droite sur le cadre. Celui-ci s'était décollé à un angle.

Sur la table de chevet se trouvait une boîte de Kleenex, il en prit un pour arrêter le sang. Puis il rangea le tableau dans sa valise, remit l'alarme en marche et partit en boitant.

13

La 304 lui rappela les pièces de sa villa Schwarzacker juste avant que l'entreprise fiduciaire ne s'y installe. Plafonds et murs étaient repeints de frais, on avait laqué les portes et leur cadre, ciré le parquet et ouvert toutes les fenêtres pour que l'odeur de peinture et de cire se dissipe.

L'unique endroit où l'on eût pu s'assoir était le large rebord de la fenêtre. C'est là qu'était installé Allmen, qui regardait le toit du jardin d'hiver et le pavillon en dessous ; il attendait l'heureuse issue de l'affaire des *Dahlias*.

La veille, Tenz l'avait appelé. « Avec une bonne et une mauvaise nouvelle. » Allmen avait, comme toujours, voulu entendre d'abord la bonne.

— Il vend.

La bonne nouvelle plongea Allmen dans un tel enthousiasme que la mauvaise ne l'ébranla pas :

— Il en veut deux millions huit.

Allmen dit qu'il allait voir tout de suite ce qu'il pouvait faire et qu'il le rappelait. Il commanda une bouteille de champagne dans sa chambre et passa une heure à lire. Puis il rappela Tenz pour l'informer que Mme Gutbauer était prête à payer. Deux cent mille francs, se dit-il, ça restait une gentille prime.

Une fois de plus ce fut l'irremplaçable Cheryl Talfeld qui s'occupa de la partie pratique. Elle quitta l'hôtel et revint une bonne heure plus tard en compagnie d'un monsieur discret qui portait un attaché-case bordeaux. Dix minutes avant la remise, elle déposerait la mallette dans la 304.

— Vous ne serez donc pas présente à la remise ? fit Allmen, étonné.

— M. Klettmann restera dans le couloir. Et vous pourrez peut-être demander à quelqu'un de votre équipe d'assurer votre sécurité personnelle.

Voilà comment, tandis qu'il attendait l'entrée en scène de Tenz assis sur le rebord de la fenêtre, Carlos se promenait dans le couloir, camouflé dans un tablier vert, tandis que María Moreno s'activait dans la suite d'Allmen, portes ouvertes.

Il regarda la petite pelouse en dessous de lui. Un jardinier avait commencé à la tondre. Les bandes tracées de droite à gauche produisaient un vert plus clair que celles allant de gauche à droite.

On frappa, et Cheryl Talfeld entra presque au même instant. Elle portait l'attaché-case et le tendit à Allmen, qui était allé à sa rencontre.

— Payé, constata-t-elle. Grosses coupures. Trente liasses de cent avec bandes d'origine.

Allmen posa la mallette par terre et se hasarda à demander :

— Vous ne voulez pas y assister, malgré tout ?

Il fut soulagé de l'entendre répondre :

— Je ne veux plus voir cet homme, vous le comprenez forcément.

Le téléphone démodé qui se trouvait par terre se mit à sonner.

— Ça doit être lui, dit-il, et elle quitta la pièce en vitesse.

Allmen décrocha. C'était Klettmann.

— Je fais monter M. Tenz, annonça-t-il.

Allmen ouvrit la mallette, en sortit deux liasses et en glissa une dans chacune de ses poches.

On frappa, Allmen ouvrit.

— De la visite pour vous, dit le concierge en faisant un pas de côté.

C'est d'abord un groom qui entra, chargé d'une valise. Il regarda à la ronde, puis déposa le bagage au milieu de la pièce. Allmen, par habitude, lui donna un pourboire, et l'employé quitta les lieux.

Alors seulement, Tenz fit son entrée. Il inspecta prudemment la pièce et avança en boitant vers Allmen. Il portait un pansement à la joue droite. Allmen tendit la main à Tenz et désigna ses blessures :

— Les négociations ont été si dures que ça ?

Tenz afficha un petit rictus.

— Vous êtes venu seul ? Je pensais qu'il enverrait au moins un de ses gorilles.

— Ils attendent en bas. Et vous ? Seul aussi ?

— Ils attendent à l'extérieur.

Allmen se pencha sur la mallette pleine d'argent et l'ouvrit. Tenz y jeta un coup d'œil et déverrouilla sa valise à coque rigide, qui laissa échapper des chips en polystyrène blanc. Il dégagea le tableau, le déballa de son emballage en papier bulle et le posa contre le mur.

Allmen s'accroupit devant l'objet.

Dalia Gutbauer avait raison. Dans sa version originale, c'était le plus beau tableau de dahlias de Fantin-Latour. Les fleurs avaient des couleurs intenses, elles venaient d'atteindre leur acmé et les têtes commençaient à s'alourdir. Il eut l'impression de sentir l'eau déjà un peu croupie et la fraîcheur de la pièce obscurcie dans laquelle le bouquet abondant se dressait dans son vase sobre.

— Le cadre a l'air un peu endommagé, mais le tableau est intact.

Pendant qu'Allmen observait l'œuvre, Tenz comptait l'argent. Lorsqu'il eut fini, il ferma la mallette et se redressa avec une grimace de douleur.

— Eh bien nous y voilà, dit Allmen. Félicitations.

— À vous aussi.

— Et maintenant ? Retour à Biarritz ?

Tenz le démentit d'un geste de la tête.

— Pas assez loin.

Ils se serrèrent la main, Allmen lui ouvrit la porte et le suivit du regard lorsqu'il remonta le couloir en boitant jusqu'à l'ascenseur.

14

Allmen, qui avait beaucoup voyagé, maîtrisait de manière passable l'art de faire ses bagages. Mais Carlos était devenu un véritable expert dans cette discipline.

Et puisque celui-ci était sur place, Allmen lui demanda un grand service, juste après le départ de Tenz.

Dès que Carlos eut entendu les mots « *gran favor* », il sut de quoi il s'agissait et commença à préparer les malles. La tâche était cette fois particulièrement compliquée : ayant fait de nombreux passages à son domicile, Allmen avait à présent plus de vêtements qu'à son arrivée.

Tandis que Carlos se consacrait à cette tâche, Allmen se faisait annoncer à Mme Gutbauer et montait au quatrième étage avec le tableau.

Cheryl Talfeld l'attendait dans le hall. Monsieur Louis lui prit la valise contenant le tableau et les précéda dans la chambre à coucher inutilisée de Mme Gutbauer. Il ouvrit solennellement le bagage, en sortit le tableau, inspecta la partie endommagée du cadre et murmura quelque chose d'incompréhensible. Il quitta la pièce et revint avec un rouleau de ruban adhésif pour tapis. Il parvint ainsi à refermer à peu près la fissure qui s'était formée dans la jointure d'angle du cadre. Il raccrocha le tableau à sa place entre les portraits. Les autres portraits, songea Allmen.

Pendant que Mme Talfeld allait chercher sa patronne, Allmen et le majordome se tenaient, muets et perplexes, devant la toile.

— Beau, dit Allmen pour ôter à la situation un peu de son caractère embarrassant.

— Comme vous dites, répondit solennellement Monsieur Louis.

Le toc, toc, toc, toc du déambulateur de Mme Gutbauer les sortit de leur gêne. Elle entra dans la pièce en compagnie de son infirmière, sans les saluer. Elle se dirigea vers le tableau et ne s'arrêta qu'au moment où elle fut juste devant.

La première chose qu'elle dit fut :

— Il est abîmé.

— Juste le cadre, répondirent en chœur Monsieur Louis et Allmen.

Pendant quelques minutes, ils restèrent tous les cinq à observer fixement les *Dahlias*. Allmen regarda Dalia Gutbauer de côté. Il était impossible de deviner sur son visage raviné et maquillé ce qui lui passait par la tête. Satisfaction ? Triomphe ? Résignation ?

Tout d'un coup elle se détourna et dit :

— Bon !

En sortant, elle donna des instructions à Cheryl.

— Occupez-vous du cadre. Et faites mettre à jour les mesures de sécurité.

Monsieur Louis lui ouvrit la porte. Elle s'arrêta encore une fois.

— Ah oui, et réglez la partie administrative avec M. von Allmen.

Elle se retourna vers lui :

— Beau travail, von Allmen.

Cheryl et Allmen restèrent sur place jusqu'à ce que le toc, toc, toc, toc se taise.

— Je n'ai toujours pas compris ce qu'elle voulait, s'étonna Allmen. Pour trois millions, elle aurait pu s'acheter un autre Fantin-Latour. Un qui n'aurait pas été chargé de tous ces souvenirs. À moins que ce ne soient précisément les souvenirs qui lui importent?

Cheryl Talfeld le démentit d'un geste de la tête.

— Ce qui importe à Mme Gutbauer, c'est toujours la victoire ou la défaite.

Sur le chemin de l'ascenseur, elle ajouta :

— Claude a appelé hier.

Allmen sursauta.

— Qu'est-ce qu'il voulait?

Elle sourit.

— Présenter ses excuses. Tout de même.

— Et quoi d'autre?

— Papoter un peu.

— À quel sujet?

— Ceci et cela.

— J'espère que vous l'avez envoyé au diable.

— Je lui ai souhaité bonne chance. Il part demain.

— Pour où?

— Il ne l'a pas dit. Mais ce sera loin, très loin.

— Bonne idée.

— Pour la partie administrative : vous m'envoyez votre facture, moi je vous envoie l'argent. D'accord?

— Notre comptabilité prendra contact avec vous.

— Eh bien, dans ce cas… (Elle lui tendit la main.) … bonne continuation. J'étais ravie de faire votre connaissance.

Ils se serrèrent la main. Allmen jugea que ses traits s'étaient un peu attendris.

— Et vous ne direz rien, c'est promis? demanda-t-elle encore une fois.

— Promis.

— Dans ce cas je ne dirai rien non plus, c'est promis.

— À quel propos?

— À propos des deux cent mille.

Elle l'embrassa sur la joue et ouvrit la porte de l'ascenseur

15

Ethan Saunter, un fabricant d'outils anglais présent pour trois semaines dans la ville, se leva comme chaque jour à six heures en maudissant les horaires de travail suisses.

Lorsqu'il alluma la lumière dans la salle de bains, les lampes s'éteignirent dans tout l'appartement. Il appela le numéro d'urgence de l'administration. Il fallut près d'une demi-heure avant qu'un gardien ivre de sommeil ne fasse son apparition. Il ouvrit le boîtier de commande électrique et releva le disjoncteur principal. Lequel sauta de nouveau à l'instant même.

C'est Saunter qui eut l'idée d'éteindre de nouveau l'interrupteur de la salle de bains. Cette fois, le circuit ne disjoncta pas.

La lumière qui tombait dans la salle de bains depuis la petite chambre avec kitchenette leur permit de constater que de l'eau coulait en larges filets sur les murs. Cela devait venir de l'appartement 501.

Le concierge monta l'escalier en courant et entra dans le 501, qui n'était pas loué. La porte de la salle de bains était ouverte, c'était la règle pour les appartements vides. Là aussi, de l'eau coulait sur les murs.

Le concierge reprit sa course dans les escaliers et frappa à la porte du 601. Personne ne répondit. Il entra dans le 602, qui n'était pas loué non plus, et appela le 601 depuis le téléphone de cet appartement. Pas de réponse. Il était pourtant certain que le locataire était présent. Il revint à la porte, frappa et appela. Il ne se passa rien. Il ouvrit alors avec le passe. L'appartement était dans le plus grand désordre. Le matelas était par terre, le lit basculé contre le mur, tous les placards étaient ouverts, des vêtements et du linge étaient éparpillés sur le sol.

Là aussi, la porte de la salle de bains était ouverte. Le concierge passa au-dessus de la mallette en cuir synthétique bordeaux qui se trouvait, serrures fracturées, en travers de la porte, et vit dans la baignoire une chevelure blond clair. Il s'approcha. L'homme mort était habillé. Le pommeau de douche était dans la baignoire. La bonde de trop-plein avait aspiré l'ourlet du rideau. L'eau, rose tendre, débordait de la baignoire.

Le concierge s'étrangla, alla aux toilettes et vomit. Puis il appela la police.

16

En cas de tempête, un jardin public fait autant de bruit qu'une autoroute.

Couché dans son lit, Allmen tentait de ne pas entendre le fracas des bourrasques dans les arbres majestueux. Bien qu'il ait été un virtuose du sommeil, il n'y parvint pas. Petit garçon, déjà, il avait compris à quel point le sommeil est une cachette sûre pour se protéger de la vie. Et compte tenu du cours qu'avait suivi cette dernière dans son cas personnel, il était devenu son meilleur allié dans la lutte contre la réalité. Mais ce matin-là, le sommeil le laissa en plan.

C'était la deuxième nuit depuis qu'il avait quitté le Schlosshotel. Il avait passé la journée précédente en respectant sa routine habituelle et avait profité de la moindre minute.

Il s'était fait réveiller par l'*early morning tea* de Carlos et avait encore un peu somnolé. Vers dix heures et demie, il avait bu deux « coupes » et mangé un croissant au Viennois. À une heure, Carlos lui servit du poulet froid, du guacamole et une tortilla. Puis il s'allongea dans son lit pour une sieste. Lorsqu'il se réveilla, il était trois heures passées.

En lui apportant son thé, Carlos le surprit en l'informant que les trois cent soixante-deux mille francs qu'il avait facturés la veille par Internet étaient déjà arrivés sur son compte. Puis il fit encore une petite demi-heure de piano, lut quelques poèmes de Rainer Brambach et s'habilla pour sortir.

Lorsqu'il demanda à Carlos de faire venir M. Arnold, il remarqua que quelque chose n'allait pas. Carlos paraissait abattu et distrait.

— *¿ Qué pasa*, Carlos ? demanda-t-il.

— María, Don John, je ne sais pas où elle est.

C'est seulement alors qu'Allmen se rendit compte qu'il ne l'avait pas vue de toute la journée.

— Elle a avancé son rendez-vous chez le Dr Huber en fin de matinée, ensuite elle comptait aller faire des courses. Elle ne répond pas sur son portable Et madame le Dr Huber dit qu'elle est sortie peu après treize heures.

Allmen était allé prendre l'apéritif au Goldenbar, puis avait assisté à un concert donné par le Philharmonique de Vienne, en tournée dans la ville, soirée dont il se faisait une joie depuis des semaines. Il avait ensuite partagé avec quelques relations un dîner tardif au Promenade.

Lorsqu'il entra dans le vestibule de la maison de jardinier, Carlos descendit l'escalier. Il était habillé et Allmen comprit aussitôt qu'il avait espéré que c'était María.

Il n'avait toujours aucune nouvelle d'elle. Aucun de ceux qui la connaissaient n'en avait eu.

Allmen proposa de boire un dernier verre avant d'aller dormir et demanda à Carlos de lui tenir compagnie. Celui-ci lui apporta un armagnac – lui-même prit l'un de ses cafés filtre qu'il maintenait au chaud pendant des heures.

— Vous vous étiez disputés, Carlos ?

— *No*, Don John, lui garantit Carlos, avant de rectifier : On ne peut pas appeler ça une dispute.

On percevait presque une note d'espoir.

— Une divergence d'opinion ?

Il y en avait beaucoup dans la vie quotidienne du couple. Carlos, cet homme introverti et d'une correction excessive, et María, avide de vivre et exubérante, avaient souvent des avis opposés.

— *Sí*, Don John, une divergence d'opinion. Mais pas de quoi la faire partir. Sans ça elle aurait déjà souvent fichu le camp.

— On ne peut jamais le dire, Carlos. Vous savez bien combien les femmes sont parfois imprévisibles. La même chose qui les laisse de marbre dix fois de suite les met en rage à la onzième.

C'était une autre qualité féminine dont Carlos n'était pas familier, mais il prit connaissance de cette information avec reconnaissance. Ils cherchèrent encore un certain temps des exemples tirés de la vie quotidienne avec María et des expériences d'Allmen avec le beau sexe. Puis ils se souhaitèrent une bonne nuit.

Mais ce ne fut pas une bonne nuit. Les pas de Carlos au-dessus de lui ne cessaient de réveiller Allmen. Quelque chose qui ne l'avait encore jamais dérangé. Et lorsque le vent se leva lui aussi, Allmen ne dormit plus que par petits bouts. À présent, il attendait au lit que Carlos lui apporte son *early morning tea*.

Il se serait volontiers levé pour lui demander s'il y avait du neuf. Mais s'il le faisait et qu'il n'y en avait pas, il rendrait Carlos encore plus nerveux.

Lorsqu'il lui apporta enfin son thé, Allmen vit tout de suite qu'il n'y avait pas de bonnes nouvelles.

— *¿Sin novedad?* demanda-t-il : rien de neuf?

— *Sin*, répondit Carlos avant de ressortir sans un mot de plus.

Allmen laissa son thé sur place, passa à la salle de bains et s'habilla. Contrairement à son habitude à cette heure-là, Carlos ne portait pas ses vêtements de jardinier. Mais il n'était pas non plus habillé en major-dome, il avait passé l'un des costumes d'Allmen retaillé à ses mesures. Comme s'il s'attendait à devoir quitter la maison d'un moment à l'autre.

— *¿La policía?* demanda prudemment Allmen.

Il savait que Carlos ne le ferait que dans le cas extrême. Les hommes sans papiers ne se précipitent pas pour déclarer officiellement la disparition de leur femme sans papiers.

Mais la réaction de Carlos montrait qu'il envisageait cette possibilité. Il haussa les épaules et dit :

— *Tal vez.*

Allmen tenta de gagner encore un peu de temps.

— Si nous n'avons aucune nouvelle à midi, c'est moi qui appellerai.

Il proposa à Carlos d'aller vaquer à ses occupations : le temps passerait plus vite. Mais Carlos refusa. Il voulait rester près du téléphone.

Le vent s'était apaisé. Des nuages noirs commençaient à présent à obscurcir le ciel et à transformer le jour en soir. L'ambiance se tendit encore plus dans la petite maison du jardinier.

Ils firent tous les deux comme s'ils étaient occupés. Carlos vida un placard de cuisine et le nettoya à l'eau savonneuse chaude. Assis à son secrétaire, Allmen écrivait au stylo une lettre à un vieil ami d'études canadien avec lequel il lui arrivait encore de correspondre sous cette forme démodée.

À deux reprises, le téléphone les arracha brusquement à leurs activités fictives. Une fois, c'était un vendeur d'assurances par téléphone ; l'autre fois, le tailleur anglais d'Allmen qui proposait une date pour un essayage.

Vers midi, il n'avait toujours aucune nouvelle.

— *Una sugerencia, nada más*, Don John.

— *Diga.*

— Appelons les hôpitaux. Si cela ne donne rien, nous irons déclarer la disparition de María.

Carlos avait dû envisager cette mesure depuis un certain temps déjà, car il avait préparé une liste de tous les services d'urgences. Il composa le premier numéro, celui de l'hôpital municipal, et tendit l'écouteur à Allmen.

Avant même que quelqu'un ne décroche, le portable d'Allmen sonna. Carlos coupa la communication sur le fixe et lui tendit le mobile.

— Señor John, dit une voix de femme, *soy yo*, María.

— María! Où êtes-vous? s'exclama Allmen.

Carlos saisit le portable.

— *¿María, mi amor, dónde estás?*

Il se tut et rendit l'appareil à Allmen.

Une voix d'homme dit en italien :

— Si vous ne faites pas ce que nous disons, elle est morte.

Allmen posa sa main sur le micro et chuchota à l'attention de Carlos :

— C'est quelqu'un qui veut une rançon.

Il ôta le pouce du micro et demanda :

— Que demandez-vous?

Son interlocuteur répondit brièvement et raccrocha. Allmen posa le portable.

— *¿Qué piden*, Don John? Qu'est-ce qu'ils veulent? demanda Carlos avec angoisse.

— Les *Dahlias*, Carlos.

Impression : CPI Firmin-Didot à Mesnil-sur-l'Estrée
Dépot légal : mai 2014. N° 2251 (122361)
Imprimé en France